SANNE
GAAT
SOLO

Voor mijn moeder

Iris Boter

SANNE
GAAT
SOLO

MOZAÏEK JUNIOR - ZOETERMEER

Van Iris Boter verscheen eerder bij Mozaïek Junior:
Online!

Leeftijd 12 +

Illustratie omslag Iris Boter
Dtp omslag en binnenwerk Gerard de Groot

© 2008 Uitgeverij Mozaïek, Zoetermeer
Mozaïek Junior is een imprint van uitgeverij Mozaïek

ISBN 978 90 239 9270 7
NUR 282

Meer informatie over dit boek en andere uitgaven van Mozaïek vind je op
www.uitgeverijmozaiek.nl
Meer informatie over de auteur vind je op www.irisboter.nl

1.

Ik schuif mijn babyblauwe koffer onder de snelbinders en gooi de map in mijn fietstas. Heb ik alles? In gedachten loop ik de inhoud van de koffer en mijn jaszakken na.

'Ga je nu al?' vraagt mam. Ze staat met haar laarzen in de blubber, een schop in haar handen. Mijn moeder en haar moestuin. Uren kan ze daar doorbrengen. 'En je huiswerk dan?'

'Dat doe ik daarna.' Ik zet mijn voet op de trapper en kijk vooruit, richting de weg. Hugo staat verder op het erf iets met een brommer te doen. Als m'n moeder nu nog iets zegt, dan zet ik kracht en fiets ik meteen weg.

Ze heeft me door en zucht overdreven, maar vooruit, dat heb ik niet gehoord.

'Tot straks,' zegt ze.

'Tot straks.'

En dan fiets ik richting dorp. Een kleine drie kilometer met een beetje tegenwind die het gezeur uit mijn hoofd blaast.

Aan het eind van de Breestraat in het dorp staat een winkel met een prachtige etalageruit. Het zijn ronde ramen met bloemvormen. Vroeger was het een slagerij, dat kun je zien aan de witte tegels onder het kozijn. Met zwierige letters is er 'eigen slachterij' op het glas geschilderd. Nu hangen er hippe truitjes en broeken in de etalage en er staan dure schoenen die ik nooit zou kunnen betalen. Ik zou ze trouwens niet eens willen hebben, want ze zijn erg lelijk.

Door de steeg aan de zijkant van het pand kom ik achter de winkel. Daar staat een oude schuur. Het is de koelcel waar vroeger de dode koeien en varkens hingen te wachten tot ze tot biefstukjes, karbonades en gehakt werden gesneden. Eerst vond ik dat een luguber idee. Zeker voor mij als principieel vegetariër, wat ik al sinds mijn achtste ben. Soms is het toeval wreed, want het is wel een perfecte plek om te oefenen. De wanden zijn dik en goed geïsoleerd, het wordt in de zomer nooit snel warm, in de winter hebben we aan één kacheltje genoeg en de buren klagen nooit, want ze horen ons niet.

Ik open de zware deur en de bedompte geur brengt me meteen in de goede stemming. Omdat er geen raam in zit, houdt ons gebouwtje alle inspanningszweet van jaren vast en ruikt het er naar eeuwenoude gymschoenen, Franse kaas en GFT-containers die allang opgehaald hadden moeten worden. Je moet ervan houden.

Na de eerste deur kom je in een soort betegelde gang met een aanrechtje en daarnaast zit de deur naar de eigenlijke koelcel. Oefenruimte dus. Ik zet beide deuren open. Even wat zuurstof binnenlaten, zodat de kans dat we deze sessie gaan overleven wat groter wordt.

We zijn niet de enige band die hier repeteert. Al jaren is dit de repetitieruimte van het dorp. Binnen staat het vol met gitaarstandaards, plastic kratten met onderdelen, bladmuziek en lege blikjes. Aan de muur hangen posters van lang geleden gegeven concerten, zelfs nog eentje uit 1992, en er krioelen tientallen snoeren over het Perzisch tapijt op de vloer. In de hoek staat een drumstel en er staat een luie stoel en een koelkast – met briefje: ruim je eigen zooi op! Niemand doet ooit de afwas, dus iets drinken uit een glas staat gelijk aan een vorm van Russische roulette. Ik neem daarom altijd mijn eigen fles water mee.

Dit is mijn plek. Hier ben ik op mijn best. Ik zet mijn koffer op tafel en klik 'm open. Daar is ie dan. Mijn sax. Ik pak een rietje uit de koffer, maak het nat door eraan te likken en leg hem in het mondstuk, dat ik op de sax zet. Ik tippel met mijn vingers op de kleppen. Top, top, dop, dob, dob, dob.

Het is kwart voor zeven. De rest komt pas om zeven uur en meestal nog later, dus ik kan eerst even alleen spelen. Na een laatste teug frisse lucht sluit ik de deuren, doe het licht aan en zet het mondstuk tegen mijn lippen. Dan zoek ik in mezelf de goeie stemming.

Ik blaas. Niet te hard, niet te zacht. De eerste tonen klinken altijd wat voorzichtig, net alsof de sax en ik elkaar weer moeten vinden. Ik probeer goed te voelen wat ik voel. Dan gaan mijn vingers een eigen leven leiden. Soms speel ik maar wat en soms speel ik de stukken die we al vaak geoefend hebben en probeer ik die nóg mooier, nog subtieler te spelen. De deur gaat open. Ik zie eerst de gitaarkoffer van Thomas en dan Thomas zelf.

'Ha, Sanne is er natuurlijk al! Zoals altijd.' Hij zet zijn koffer neer en rekt zich uit. 'Poeh, heb net een uurtje geslapen. Lange dag gehad.' Voor iemand die net wakker is, ziet zijn haar er razend netjes uit.

'Was het druk?'

'Mwoah. Op woensdag gaat de tijd altijd te langzaam,' grijnst hij. Hij gooit zijn spijkerjasje in een hoek.

Thomas is de enige van ons die al werkt. Hij staat in een grote muziekwinkel in de stad en neemt vaak cd's mee die we luisteren en waar we inspiratie uit halen. Of juist niet.

Thomas zet in het keukentje een grote pot koffie, en een kop thee voor mij, en ik speel nog wat riedels, maar met Thomas als publiek gaat het minder makkelijk. Terwijl de koffie doorloopt, sluit hij een paar snoeren aan en stelt hij de geluidsinstallatie goed in. Hij rommelt wat in de keuken en zet een kop thee voor me neer.

'Alsjeblieft, met kaneel. Daar hou je toch van?'

'Klopt, dank je.' Het is nog te warm om te drinken.

'Zullen we alvast die laatste maten van *What you see* doornemen?' vraagt Thomas. 'Dat vind ik zo'n lastig stuk.'

We beginnen te spelen. Dat kunnen we heel goed. Zodra we allebei geluid produceren, praten we niet meer. Ik voel aan de manier waarop hij speelt wat hij wil. En andersom. Thomas' ogen stralen en het is alsof ik elastiek in mijn vingers heb, zo soepel gaat het. We spelen een paar nummers, zo kei- en keigoed dat het jammer is dat het niet opgenomen is. Thomas is echt goed. Daar ben ik een beetje jaloers op.

De thee is ondertussen lauw geworden.

Pas om kwart over zeven komt Jamie binnenzeilen, maar hij heeft chocoladespritsen meegenomen. Dat maakt het goed. Zijn warrige krullen staan alle kanten op, hij heeft vast hard gefietst. En het is al bijna half acht als Emma komt.
'Belachelijk,' sputtert ze in haar mobiel. Ze gooit haar tas op de grond. 'En weet je wat ze zei? Ze zei: moet je horen wie het zegt. Dat zei ze.' Ze veegt met een genagellakte vinger een pluk haar naar achteren.
Dan ziet ze ons kijken. 'Ik bel je straks terug. Wat zeg je? Nee, ik moet nu echt ophangen, ze staan hier te wachten. Ciao.'
Ik probeer onopvallend-opvallend op de klok te kijken.
Emma ziet het. 'Sorry dat ik zo laat ben, maar ik moest echt nog wat doen.' Ze checkt haar mobiel nog eens voor ze hem uitzet.
We hebben Emma moeten dwingen om haar telefoon uit te zetten tijdens de repetities, want ze onderbrak doodgewoon een nummer als ze zag dat er een sms binnen was gekomen.
Ze slaat haar map open en doet haar haar in een staart.
'Mensen, nieuws,' zegt Thomas. 'We kunnen spelen op het Winterfestival!'
'Het Winterfestival?' Er borrelt meteen een kriebel in m'n buik.
'Echt waar?' roept Emma opgetogen.
'Wauw!' zegt Jamie. 'Hoe krijg je dat nou weer voor elkaar?'
'We zijn gevraagd.' Thomas draait aan de stemknoppen van z'n gitaar. 'Ik sprak de organisator; die had ons horen spelen in 't Eetcafé. Hij vond ons echt goed. Vandaar.'
Jamie roffelt triomfantelijk op zijn drumstel. 'We zijn ontdékt!'
'Dan moeten we goed uitzoeken welke nummers we gaan spelen.' Ik blader door de muziekmap. 'Hoe lang mogen we?'
'Twintig minuten. We zitten tussen *The One Second Trio* en *Beach Volley* in.'
We hebben natuurlijk vaker opgetreden, maar het Winter-

festival is wel heel erg geweldig. Vorig jaar heb ik staan brullen bij *The House* en *Barend Boudewijn*, en nu gaan we zelf optreden! Ik zie de affiches voor me: *Music from the Fridge* speelt op het Winterfestival!

Even droom ik weg van optredens, wereldtournees, eeuwige roem.

'Let's go!' Thomas pingelt op de snaren.

Iedereen staat op z'n plek. Anders dan bij een optreden staan we in een kring om het drumstel heen zodat we elkaar goed kunnen zien.

'Beginnen met *Waiting for you*?'

Prima, knikt Jamie en hij tikt vier tellen vooraf.

'Wacht.' Thomas draait aan een van de knoppen van de versterker.

Jamie telt opnieuw en daar gaan we. Thomas valt in met een snoeihard akkoord en we zitten meteen in het ritme. Emma heeft de microfoon in haar hand, een vel papier in haar andere en haar hoofd beweegt mee op de muziek. Precies op het goeie moment valt ze in: '*There you are, I see you every morning by the busstop.*'

Zingen kan ze, Emma. Het lijkt of het haar geen moeite kost. Ze heeft een loepzuivere stem en alles wat ze zingt, klinkt meteen goed. Ze kan rauw zingen en heel licht.

Wat gaat het goed! We zitten helemaal in de muziek. Thomas en ik spelen *Music is my love* samen en dat is nog nooit zo goed gegaan. Als dat op het festival ook zo goed gaat, dan gaat het dak eraf. Ik zie aan Thomas' gezicht dat hij er ook zo over denkt. Terwijl hij speelt, kijken we elkaar aan en hij hoeft maar iets met zijn hoofd te bewegen of ik weet: nog twee maten, of iets feller, of wat dan ook. Tika, mijn beste, a-muzikale vriendin, zit steeds te vissen of we samen wat hebben, maar dat is echt niet zo. Misschien hebben we een soort muziekverkering. We praten niet, we spelen.

'Dat laatste stukje nog eens, vanaf maat zestien.' Thomas slaat de bladzijde terug. 'Dat kan net wat krachtiger.'

'Zou het niet mooier zijn als we daar het akkoord van maat achttien herhalen?' Ik speel het.

Thomas luistert en er verschijnt een frons tussen zijn wenkbrauwen. Dat vind ik zo megalief om te zien.

'Dat is een goeie,' knikt hij na een tijdje. 'San, je bent geweldig!'

Ik zie Emma's gezicht zuchten. Ze klapt haar mobiel open. ''t Is tijd.'

Ik zie tot mijn schrik dat het al negen uur is. Ongelooflijk hoe snel de tijd gaat. Als ik speel, heb ik geen besef van de tijd. Zou dat kunnen? Dat de tijd echt even stilstaat? Voor mij dan. Want de rest van de wereld suist, ruist, kletst, werkt en sjeest gewoon door. Maar voor mij, in die koelcel aan de Breestraat, staat de tijd stil als ik speel.

'Sjonge,' zegt Emma als we naar huis fietsen, 'ik snap niet dat Thomas er zo bovenop zit. Als het tijdens het optreden maar goed gaat, dan hoeft het nu toch niet zo fanatiek. We repeteren nu alleen maar.'

'Ja, maar hoe meer je oefent, hoe beter het straks gaat.'

'Ach, als je maar weet hoe het moet. Dan hoef je het toch niet elke woensdagavond zó goed te doen. En steeds dingen anders, daar word ik gek van. Zo kan ik het nooit onthouden.'

Ik zeg niks. Snapt ze niet dat een beetje goed niet goed genoeg is? Straks staan we op het Winterfestival te spelen voor enorm veel mensen. Dan moet het echt helemaal goed zijn. Ik weet dat we het kunnen, maar de enige over wie ik mijn twijfels heb, fietst hier naast me.

'Nou, doei,' roept ze en ze slaat af.

'Doei.'

Ik moet altijd het verste fietsen van iedereen, maar ik heb het ervoor over, zo mooi en stil als wij wonen. Net iets buiten het dorp, in een oude boerderij. Het is al lang geen echte boerderij meer, maar we hebben konijnen en een paar kippen en een oude geit. Vroeger had ik een eigen paard, maar dat is doodgegaan.

'We spelen op het Winterfestival,' schreeuw ik als ik binnenkom.

Mijn ouders zitten op de bank televisie te kijken en op het moment dat ze geërgerd omkijken, besef ik in een flits dat het helemaal nog niet zeker is dat we op het Winterfestival spelen. Dat ík op het Winterfestival speel.

'Op het Winterfestival?' zegt mijn vader. 'Da's mooi.' Hij zegt het op een toon alsof hij zegt: da's jammer.

'Daar moeten we het nog maar eens over hebben.' Mijn moeder slaat een bladzijde van haar boek om. Ze leest altijd terwijl ze ondertussen tv kijkt. 'Er moet natuurlijk wel wat tegenover staan.'

Daar gaan we weer! Alle lol, de trots en de energie die ik voelde, stromen in één keer door mijn voeten de grond in. Natuurlijk. School.

Even twijfel ik. Zal ik redelijke argumenten aandragen? Zal ik allerlei beloftes doen? Maar iets in mij wordt groter en groter en ik hou het niet meer.

'Ach, jullie altijd!'

Ik smijt de deur dicht en ren naar boven. Zo hard mogelijk stamp ik de trap op.

Ik haat dat. Ik haat dat zo. Die ouders van mij weten alles wat ik leuk vind te verknallen door gezeur over dat eeuwige huiswerk en die eeuwige school. Tuurlijk, belangrijk, toekomst, bla bla, weet ik ook wel. Maar ik leef NU!

Ik gooi mijn deur dicht en laat me op bed vallen.

Toegegeven, het is waar dat het niet echt goed gaat op school. Echt niet. Vorig jaar ben ik net overgegaan. En met net bedoel ik ook nét. En dit jaar heb ik nog maar drie voldoendes gehaald, onder andere voor muziek natuurlijk, maar dat geldt dan weer niet voor de overgang.

Ik zet een cd op. Dan kijk ik naar mijn boeken. Alles wat daarin staat, moet ik dit jaar nog in mijn hoofd zien te krijgen.

Alleen al bij het idee zinkt de moed finaal in mijn schoenen.

2.

'Sanne! Hang niet zo aan tafel en gebruik je mes en vork.'

M'n vader praat met volle mond, maar daar zeg ik natuurlijk niets van.

'Ik heb genoeg gehad,' zeg ik en ik schuif mijn bord vooruit.

'Mag ik van tafel?'

'Wat denk je zelf?'

Geduldig wacht ik tot mijn ouders en mijn broer de bonen en de zelfgemaakte appelmoes naar binnen hebben gewerkt. Een toetje krijgen we alleen in het weekeind.

'Mag ik dan nu van tafel?'

'Je mag nu aan je andere tafel gaan zitten,' glimlacht mijn vader en hij knikt naar de trap.

Met een kop thee stamp ik de trap op. Ik ben nog altijd boos vanwege de dreiging niet te mogen spelen. En dat zullen ze weten ook.

Terwijl ik achter m'n bureau ga zitten rijdt Hugo op z'n brommer weg en hoor ik mijn vader met de grasmaaier in de weer. Zuchtend pak ik mijn boek. Wil ik één voldoende op mijn rapport zien, dan moet ik vier achten halen voor het kerstrapport. En één van die achten word ik geacht morgen te halen. Proefwerk Frans. En ik hoef nog maar een half boek te leren. Moedeloos begin ik met het eerste woord.

abomination – weerzin

Wacht even, muziek erbij aanzetten. Dat helpt. Daar komen je hersens van op een bepaalde golflengte en dan springen die woordjes zo in je hoofd. Heb ik ergens gelezen. Uit mijn kast vol cd's weet ik altijd precies wat ik wil horen, maar vandaag lukt het niet zo. Na de eerste maten gooi ik er weer een andere in, en daarna nog eens. Die laat ik lopen. Sonny Rollins, een van de beste saxofonisten ooit.

Kijk, nu gaat het al een stuk beter.

ennuyeux – saai (slaapverwekkend)

absurdité (la ~ (v)) – onzin

Ik neurie mee. Muziek is zoiets magisch. Het zet mijn hoofd meteen om. Het spoelt mijn hersencellen schoon. Ik ben niet meer boos. Eerder een beetje verdrietig. In feite is muziek alleen klank, zijn het alleen maar geluidsgolven. Dat heb ik eens gezien op een computer, van die voorbijtrekkende golven in een grafiek. Hoe kan zoiets simpels zó diep gaan?

Ik ga op mijn bed zitten, tegen de kussens aan, mijn boek op schoot. Zo hou ik het wel even vol.

Goed. Verder.

maison de détention (la ~ (v)) – gevangenis

injustice (la ~ (v)) – onrecht

Als het buiten helemaal donker is, wordt er op de deur geklopt. M'n moeder, ik hoor het aan de manier waarop ze klopt. Ik zeg niks, maar ze doet de deur toch open.

'Wat leer je?'

Ze komt naast me op bed zitten. Ik kan nog niet goed inschatten of het een preek wordt of een 'komt wel goed'-gesprek.

'Frans.'

'En lukt het?'

'Mwoah.'

'Misschien moet je je tijd wat beter verdelen tussen sax en school.'

Toch een preek dus.

'Waarom? Waarom mag ik van jullie nooit leuke dingen doen?'

'Da's niet waar.' M'n moeder frunnikt aan een los draadje aan mijn trui. 'Leuke dingen zijn heel belangrijk. Maar niet-leuke dingen kosten nou eenmaal meer energie.'

Ik kijk kennelijk nog niet overtuigd genoeg, want ze gaat door.

'Stel dat je het niet leuk zou vinden om te studeren voor je saxlessen. Dat we je daarvoor net zo achter je broek moesten zitten als voor school. Maar omdat je dat leuk vindt, gaat het vanzelf.'

Dit hele verhaal ken ik al. Zo vaak gehoord. Maar op de een of andere manier heb ik geen zin om ertegenin te gaan. Sterker nog: ik vind het wel prettig om naar haar te luisteren. Misschien is het niet wát ze zegt waar ik naar luister, maar naar hoe ze het zegt. Van mij mag ze nog wel even doorgaan. Ik val er bijna van in slaap.

'Zal ik je overhoren?' Mijn moeder pakt het boek en bladert erin. 'Moet je ál die bladzijden leren?'

'Ja.' Ik zeg er niet bij dat we de helft al bij een eerder proefwerk gehad hebben en dat ik die dus allang had moeten kennen.

Mam begint met overhoren. Ze klinkt meteen als een juf. Mijn ouders geven allebei les. Mijn moeder op een basisschool en mijn vader geeft Nederlands op een middelbare school. Gelukkig niet op die van mij. Soms is het vreselijk dat mijn ouders leraar zijn, maar af en toe is het wel handig.

'Oké. Vertaal deze zin: Dit is zo saai, ik kijk nog liever hoe de verf droogt op de muur.'

'Eh, even denken. *C'est tellement chiant, que je préférerais encore regarder de la peinture sécher sur les murs.*'

Ik vind het te kinderachtig om toe te geven, maar eigenlijk vind ik het wel gezellig dat mijn moeder bij me zit. Dat gebeurt niet vaak meer.

Ondertussen komt mijn broer thuis. Dat hoor je aan de manier waarop hij probeert de voordeur uit de gevel te slaan. Meteen erna hoor ik de bromstem van mijn vader.

Mijn moeder gaat onverstoorbaar door met overhoren. Na een tijd klapt ze het boek dicht.

'Kijk er nog even naar. Dan moet het vast goed gaan.' Ze aait me door mijn haar en gaat dan weg.

Tja, denk ik, je hebt goed en goed.

Ik pak een velletje papier, knip het in achten en schrijf op een van de stukken zo klein mogelijk de woorden die ik niet in mijn hoofd krijg. En dat papiertje stop ik in mijn etui.

Het is bijna half tien, gauw naar beneden.

Mijn ouders zitten aan de keukentafel en mijn broer kijkt tv. Omdat ze stoppen met praten als ik beneden kom, heb ik meteen door dat ze het over iets hadden waar ze mij niet bij hadden willen hebben. Pech. Ik woon hier ook.

Mijn moeder zet een glas fris voor me neer en trekt even aan m'n staart.

'Vertel eens wat meer over dat Winterfestival?' vraagt pap. 'Speelde daar vorig jaar niet *The House*?'

Ik was van plan om te blijven mokken, maar als pap over muziek begint, kan ik niet stil blijven. Uitgebreid vertel ik welke nummers we gaan spelen en hoe gaaf het is dat Thomas dit geregeld heeft.

3.

'Weekend!' roept Tika. Ze doet de deur van het lokaal open en alle muffe lucht van dertig naar vrijdagmiddag ruikende jongelui stroomt weg.

'Kom, we gaan naar The Roof.'

Even de stad in. Dat kan ik wel gebruiken. Wat een rotdag vandaag. Het proefwerk ging slecht. Ik durfde niet op het spiekbriefje te kijken. Sanders van Frans was in een ongelooflijk slecht humeur en stampvoette zowat het hele uur door het lokaal. Bovendien was het niet nodig, want alles wat ik op het briefje had gezet wist ik juist uit mijn hoofd. En alles wat ik dacht te weten, was weg. Erg handig.

Ik klik het slot van mijn fiets open en we rijden de stad in. Op vrijdagmiddag met Tika de stad in, daar krijg ik echt een weekendgevoel van. We gaan eerst even snuffelen in de muziekwinkel waar Thomas werkt. Da's altijd goed voor m'n humeur.

'Ha, Sanne!' Thomas springt op van z'n kruk.

'Ha, Thomas! Heb je nog iets leuks?'

'We hebben alléén maar leuks. Wacht.' Hij duikt achter de toonbank.

Met een cd-doosje komt hij weer overeind. 'Dit vind je vast net zo mooi als ik. *Deep Red Sky*.'

'Ken ik niet.'

'Luister en huiver.'

Hij legt de cd in de speler en ik zet de koptelefoon op. Wat een mooie, scherpe saxofoon. En wat een goeie zangeres.

Vanbinnen voel ik iets opwellen. Ik wil die cd hebben. Deze muziek is zo goed.

Ik laat het even aan Tika horen. 'Mooi,' knikt ze.

Thomas grijnst. Het is altijd zo raar met goeie muziek: aan de ene kant geweldig, inspirerend, tranentrekkend. En aan de andere kant de gedachte: zo goed zal ik nooit worden. Dit ligt ver buiten mijn bereik. Als dit al gemaakt is, wat heb ik daar dan nog aan toe te voegen? En toch wil ik hem hebben. Ook al heb ik de prijssticker gezien. Oeps. Dat gaat me twee maanden zakgeld kosten. Er is een kort, maar hevig gevecht gaande in mijn hoofd en de cd wint. Met gemak. Dan maar een tijd niet meer sms'en en geen chocomel kopen op school. Ik reken de cd af.

'Veel plezier ermee.' Thomas knipoogt.

We lopen verder, het plein op. The Roof zit aan de overkant.

'Er is niemand.' Tika speurt om zich heen.

'Je bedoelt: Thijs is er niet.' Want er zit zeker twintig man op het terras.

Tika grijnst. Ze is al driehonderd jaar verliefd op Thijs. Ze heeft geen idee of hij zelfs maar van haar bestaan op de hoogte is. Ik moet er altijd om lachen, maar soms is het irritant.

'Ga toch es naar hem toe,' zeg ik. 'Straks wonen jullie samen in hetzelfde bejaardentehuis en loop jij met je rollator nog steeds achter hem aan te kwijlen têrwijl hij nog altijd niet weet wie dat ouwe mens met die grijze krullen is dat altijd zo verliefd naar hem staart.'

Tika geeft een gil van het lachen. We gooien onze tas op een stoel en gaan zitten.

'Twee cola en een schaaltje tortilla's,' zegt ze tegen de jongen die naast onze tafel komt staan.

Tika betaalt, maar Tika is dan ook stinkend rijk. Haar ouders werken zich allebei te pletter, ze ziet hen nooit. Ze mag alles en hoeft nooit iets zelf te betalen. Ze krijgt in een week net zo veel zakgeld als ik in drie maanden. Daarom betaalt zij meestal en we hebben lang geleden afgesproken dat ik daar niet over zeur, want zij betaalt liever op vrijdagmiddag voor ons allebei in The Roof dan dat ze alleen in het grote huis zit waar ze meestal in haar eentje haar eigen eten mag opwarmen en geld overhoudt.

Heerlijk om hier zo te zitten in de late najaarszon op een terras, een proefwerk waar ik toch niks meer aan kan doen en er was iets leuks, even denken...

'We doen mee met het Winterfestival!' Door dat stomme Frans en dat gedoe met mijn ouders had ik er niet meer aan gedacht.

'Echt? Daar speelde *The House* vorig jaar ook!'

'Ja, en die zullen zeggen: speelt *Music from the Fridge* op het festival? Echt? Daar speelden wij vorig jaar ook!'

'Wat goed,' grijnst Tika.

'Ja hè? We moeten nog goed uitzoeken wat we spelen en ik wil nog een nummer schrijven met een solo voor de basgitaar.'

'Wauw! Als je later beroemd bent, dan kan ik zeggen: ik heb met Sanne van Lente op het terras cola gedronken.'

'Dat doen we dan nog steeds natuurlijk.'

'Ben wel jaloers.' Tika blaast bubbels in haar cola. 'Ik wou dat ik zo goed wist wat ik kon en wat ik wou. En als ik het al weet, dan is het een maand later weer iets anders.'

'Je hoeft het nu toch nog niet te weten.'

'Da's waar. Maar goed, over twee jaar wel. En ik heb echt nog geen idee. Het lijkt me fijn om zeker te weten wat je wilt. En dat je dat dan ook nog goed kunt.'

Dat is waar. Ik heb nooit getwijfeld wat ik wilde: muziek maken. Mijn ouders vertelden dat ik toen ik twee was het allerliefste met mijn pianootje speelde. Ik moet gewoon die havo zo snel mogelijk afmaken en dan toelatingsexamen doen voor het conservatorium. Welk conservatorium, dat is de grootste vraag. In Groningen of in Zwolle. Geen idee hóe ik het ga doen, maar dát ik het ga doen staat vast. Ik denk maar even niet aan het bodemloze ravijn waar ik voor zal staan als ik niet aangenomen wordt.

Maar wat me opeens wel scherp voor ogen staat, is het proefwerk Frans van vanmiddag. En al die vieren en vijven van de afgelopen tijd. Ik kan willen wat ik wil, maar als ik niet overga, dan moet ik van school omdat ik in de brugklas al eens ben blijven zitten. En zonder havo kun je niet naar het conservatorium. Dat dringt opeens heel duidelijk tot me door.

Tika tikt tegen m'n voet. 'Wat zit je te dromen?'

'Ik ben bang dat ik niet overga.'

'Nu opeens?'

'Ja. Ik ga naar huis, huiswerk maken,' zeg ik en ik sta al half op.

'Op vrijdagmiddag?' Tika schrikt ervan. 'Ben je gek of zo? Relax, mens. Ik kom volgende week wel bij je en dan gaan we er goed voor zitten. Echt,.het komt goed.'

Ze heeft gelijk. Het is pas oktober. Ik heb nog zeeën van tijd om mijn cijfers op te krikken. De zon schijnt, ik zit hier met mijn liefste vriendin op een terras en het is weekeind.

Het komt wel goed.

We kletsen over van alles, maar na een uurtje of wat is mijn gesprek-op-gang-houd-energie op. En niet in de laatste plaats omdat de cd in mijn jaszak vreselijk zeurt om gedraaid te mogen worden.

4.

Mijn liefde voor muziek heb ik niet van een vreemde. Niet van mijn ouders, want die spelen geen noot en hebben twee cd's in de kast staan. Het heeft een generatie overgeslagen: mijn oma is erg muzikaal. Ze kon ontzettend goed pianospelen en heeft veel concerten gegeven. In de jaren zestig heeft ze zelfs een plaat opgenomen die is uitgebracht in Nederland en Amerika. Ze speelde in een bigband die tournees maakte door Europa. Ook heeft ze heel lang lesgegeven. Maar ze kreeg een soort reuma en toen ging het steeds minder. Ze heeft wel eens tegen me gezegd dat dat het ergste was wat haar overkomen is. En ze heeft heel wat meegemaakt in haar leven.

Mijn opa en oma wonen in een klein wit huis in ons dorp. Met luikjes voor de ramen en verscholen onder de bomen. Toen ik klein was, dacht ik dat het van Hans en Grietje was geweest. Vaak ga ik na school of zomaar bij ze theedrinken. Opa is altijd erg druk, meestal werkt hij in de tuin of op zolder. Ook oma doet nog van alles. Ze luistert graag muziek en ze leest ontzettend veel.

Vandaag tref ik oma buiten op de tuinstoel met een deken om zich heen geslagen. Ze leest een boek. Haar leesbril staat op het puntje van haar neus.

'Hé Sanne!' Als ze opkijkt, valt haar bril op de deken. 'Hoe gaat het met jou?'

'Goed.' Wat ziet ze er opeens oud uit.

'Hoe gaat het met u?'

Ze glimlacht. 'Goed hoor, lieverd.' Haar handen trillen als ze het boek dichtklapt. 'Ga zitten, joh.' Ze wijst naar de tuinstoel naast haar. 'Huib!'

Opa komt achter uit de tuin en steekt zijn hand op.

'Alstublieft.' Ik geef hem een zak met kool uit onze eigen tuin.

'Dank,' zegt hij. 'Ik zal thee maken.' En hij verdwijnt naar binnen.

Opa is altijd wat stugger. Ik ben daar allang aan gewend. Hij zal nooit knuffelen of zeggen dat hij het leuk vindt dat hij me ziet, maar hij repareert wel ongevraagd mijn fietslicht en zet altijd meteen een fluitketel water op als ik binnenkom. Natuurlijk ook omdat mijn oma dat niet meer kan, maar hij doet er altijd zo veel water in dat ik minstens twee koppen thee moet blijven.

'Leuk dat je er bent,' zegt oma. 'Hoe gaat het met je band?'

'We spelen op het Winterfestival.'

'Echt? Wat geweldig. Optreden is het mooiste wat er is. Welke nummers spelen jullie?'

Oma weet altijd precies wat we spelen. Als we iets opgenomen hebben, wil ze het altijd horen en ze vindt niet zomaar alles prachtig, ze is behoorlijk kritisch. En dat is goed, want ze kan soms heel nuttige dingen zeggen, al is ze natuurlijk een beetje ouderwets. Ik laat nooit een nummer aan de band horen voor oma ernaar heeft geluisterd. En ze hoeft het niet eens te horen, want ze kan een stuk muziek van blad lezen en het tegelijk in haar hoofd horen. Ze weet dan precies hoe het zal klinken.

Ik vertel haar wat ons plan is op het festival.

'Komt u ook?' Meteen besef ik dat dat een stomme vraag is. Ik zie mijn oma al in haar rolstoel tussen die swingende lijven staan.

'Haha! Daar ben ik toch veel te oud voor. En te krakkemikkig vooral. Maar ik zou het graag willen zien.'

'Ik beloof dat papa het filmt. Dan kom ik het daarna laten zien.'

'Daar hou ik je aan.'

Ik denk aan een uitvoering op de muziekschool, een paar jaar geleden. Toen was oma er wel. Toen kon ze nog kleine stukjes lopen. Nu moet opa haar zelfs helpen als ze naar de wc moet.

'Hoor je dat, Huib?' vraagt oma. 'Sanne speelt op het Winterfestival.'

'Nou nou,' bromt opa. 'Toe maar weer.' Hij schenkt drie grote glazen thee in en legt er een stuk zelfgebakken cake met jam bij.

Wat ruikt dat heerlijk! Bakken kan opa als de beste. Het is wel zielig voor mijn vader. Hij heeft zowel de muzikaliteit van z'n moeder als de kookkunst van zijn vader niet geërfd.

Ik neem een grote hap. 'Heerlijk. Heeft u een nieuw recept geprobeerd?'

'Mm, ja.' Opa knikt en wijst naar de tuin. 'Met rozebotteljam.'

'Sanne, wil je binnenkort een paar boeken voor me omruilen in de bieb?' vraagt oma.

'Tuurlijk. Heeft u die van vorige week allemaal alweer uit?'

'Dat was niet zo'n opgave, die lazen als een trein.'

We blijven nog een hele tijd buiten zitten. We praten over de tuin, over de groente die opa en mama geoogst hebben en wat er volgend jaar de grond in gaat, en over een optreden van oma vroeger, en over welke boeken oma het mooist vond en waarom.

De zon zakt al bijna achter de bomen als ik naar huis fiets.

5.

Mijn tenen zijn mijn publiek. Ze steken boven het badschuim uit en juichen, voor mij. Ik ga helemaal op in mijn solo en de laatste tonen scheur ik zo hard dat mijn tenen uit hun dak gaan. Dan laat ik mijn virtuele sax onder water verdwijnen.

Het is dat het niet zo vaak mag, anders zou ik elke dag met een bad beginnen en eindigen. Het water moet zo heet, dat het net geen pijn doet. Lavendel- of amandelschuim erin. En dan, als het bad vol is, eerst mijn ene voet erin, wachten tot ie gewend is en dan mijn andere voet erin. Ogen dicht, en dan m'n lijf helemaal de warmte in. Dan is 't net alsof ik niet meer begrensd word door mijn huid, maar helemaal oplos en zo vloeibaar en helder word als het water waar ik in lig. Het water weekt niet alleen het vuil van mijn lijf, maar lost ook al mijn gedachten op, mijn zorgen, piekerarijtjes, ergernissen en boosheidjes. En als ik het water straks weg laat lopen, dan loopt al die overbodige smurrie het riool in. Sinds mijn verjaardag is er nog een extra dimensie bijgekomen: ik schuif twee oordopjes in mijn oor en zet mijn mp3-speler aan. Wat een heerlijkheid. Zonder dat de muziekspeler nat wordt, zoek ik *Feeling good, feeling wonderful* op.

Iemand klopt opeens hard op de deur. Bijna valt m'n mp3-speler alsnog in het water. Ik trek een dopje uit m'n oor.

'Zit je nou nog in bad?' Het is Hugo. 'Schiet toch eens op, mooier word je echt niet van al dat getut.'

'Dan heeft het voor jou helemaal geen zin om in bad te gaan,' roep ik terug. Hij wacht maar mooi tot ik klaar ben. Gelukkig zit er een slot op de deur.

Als ik weer beneden kom, roze en geurend naar amandel, zitten mijn ouders op de bank en er begint net een leuke film.

'Zo, daar is ze weer, onze zeemeermin,' zegt mijn vader. 'Kun je helemaal fris en fruitig nog een uurtje aan het werk.'

'Aan het werk? Meen je dat? Het is zaterdagavond!'

'Ja, én? Dat heet nou knokken.'

'Heb je je cijfer voor wiskunde al terug?' vraagt mam.

'Ja, een vijfenhalf.'

'Wat jammer. Je kende het toch vrij goed.'

'Jammer? Het is een voldoende.'

Mam glimlacht. 'Nou ja, voldoende... Het houdt niet over.'

Daar gaan we weer! Ik voel de boosheid in me opkomen.

'Héb ik eens een keer geen vier, is het weer niet goed.'

'Laat ik eens heel streng zijn.' Pap zet het geluid van de tv zacht. 'Ik wou dit pas als uiterste middel doen. Als je nu niet beter je best gaat doen op school, dan gaat jouw sax voorlopig achter slot en grendel.'

'Poeh, streng hoor.'

Mijn vader kijkt mij aan met ogen die vlammen: 'Naar boven. Nu meteen!'

'Prima.' Het kan me niks schelen. Alsof het hier zo gezellig is.

Ik loop hard de trap op, m'n kamer in en gooi de deur achter me dicht. Ik ga achter mijn bureau zitten. Er valt een stapel boeken op de grond en ik doe geen moeite om ze tegen te houden. Val maar lekker, stomme boeken. Ik leg mijn hoofd op m'n bureau. Het is zo oneerlijk!

Zou Candy Dulfer de havo hebben gedaan? Dat moet ik eens op internet opzoeken. Vast wel. Zij heeft conservatorium gedaan, dacht ik. Dan is ze vast ook voor de havo geslaagd. En is ze dus niet twee keer blijven zitten. Ze heeft voldoendes gehaald. Zessen, misschien wel zevens. De harde werkelijkheid dringt weer tot me door. Elk cijfer onder de zes maakt mijn kansen op een toekomst als saxofonist kleiner.

Langzaam raap ik een van de boeken op en sla het open. Aardrijkskunde. Mijn lijf stroomt in één keer vol met tegenzin. Waarom moet ik alles van bodemvormende factoren weten om naar het conservatorium te kunnen? Ze kunnen me wat! Ik ga eerst mijn hoofd leegspelen, pas dan passen die aardlagen erin.

Trouwens, er zijn ook zat muzikanten beroemd geworden zonder dat ze conservatorium hebben gedaan.

Ik schuif de Silent Bag om de sax. Dat is een soort grote theemuts, gemaakt van slaapzakspul, maar dan voor mijn sax. Om het geluid te dempen. En dat is niet voor de buren. Want die wonen een halve kilometer verder. Hugo vindt het irritant als ik zo hard speel, zijn kamer is naast die van mij. Een sax kan echt snoeihard geluid maken. Daarom kreeg ik van hem op mijn verjaardag die Bag, zodat ik ook kan spelen als hij thuis is. Hij dempt niet al het geluid, maar genoeg om te spelen zonder dat mijn ouders het horen.

Ik zit er net een beetje in als de deur openzwaait.

Hugo.

'Ik hoor je,' zegt hij.

'Jij zat toch beneden te gamen?'

'Nee, ik zit op mijn kamer! Ik probéér een film te zien.' Hij kijkt er nogal getergd bij.

Grrr! Soms zou je hem door elkaar willen rammelen. Maar ja, als hij gaat klagen bij m'n ouders is het toch afgelopen. Ik zet mijn sax op de standaard en sla diep zuchtend mijn boek open. De doorsnede van de aarde dan maar.

6.

Maandag is de mooiste dag van de week. Dan heb ik 's avonds saxofoonles bij Anoek thuis. Ze zit in het laatste jaar van het conservatorium en ik heb heel veel van haar geleerd. Ze pakt ook altijd zelf haar sax erbij en dan spelen we samen allerlei stukken van John Coltrane of Candy Dulfer. Geweldig is dat. Net zoiets als bij Thomas en mij. We zitten dan samen in dezelfde energie, of zoiets.

Ze heeft wel eens gezegd dat ik heel goed speel en dat ik er iets mee zou moeten doen, als ik dat zou willen. Dat zij dat zegt, juist zij, vind ik een groot compliment. Want ze is zelf enorm goed: ze speelt op grote festivals en ze is een keer op tv geweest.

Vandaag gaat het niet goed. En dat terwijl ik zo veel zin had om lekker te spelen en even alles te vergeten. Maar dat lukt niet. School, het Winterfestival, m'n ouders – alles zit in mijn hoofd en de muziek krijgt niet genoeg ruimte. Een ander zou het misschien niet horen, want ik speel alles zoals het hoort. Maar het goeie gevoel ontbreekt. Anoek heeft het natuurlijk wel door.

'Hé, gaat het?' vraagt ze.

Ik laat de sax zakken. 'Nou, eigenlijk niet.'

'Wat is er dan? School, ouders, liefde?'

'Het gaat slecht op school. Echt slecht.' Ik ga toch niet huilen? Ik knijp mezelf hard in de muis van mijn hand.

'Als ik het jaar niet haal, dan moet ik van school en dan kan ik niet naar het conservatorium.' De tranen schieten me alsnog in m'n ogen.

'Moet je dan echt van school?'

'Ik ben al eens blijven zitten.' Met m'n mouw veeg ik m'n

ogen af. 'In de eerste. Dat kwam omdat ik meer speelde dan leerde. Als ik slechte cijfers blijf halen, mag ik voorlopig geen sax meer spelen.'

'Ouders!' zegt Anoek. 'Die van mij waren ook zo. Snappen ze niet dat saxofoon spelen voor ons net zoiets is als ademhalen? Stel je voor dat ze zeggen: Nou San, als je nog eens een onvoldoende haalt, dan mag je een maand niet ademhalen.'

Ik schiet in de lach.

'Zeg, heb je wel eens gehoord van de Havo voor Muziek en Dans?'

Ik schud mijn hoofd.

'Nee? Dat is net wat voor jou. Da's een gewone havo, maar dan met heel veel extra vakken, muziek en zang en van alles.'

'Heb jij die ook gedaan?'

'Nee, maar als ik had geweten dat ie bestond, dan was ik er zeker heen gegaan. Kijk maar eens op internet, ze hebben vast een website. Je krijgt dan gewone vakken en heel veel muziekles.'

Anoek bladert in de muziekmap. 'Ik denk echt dat het wat voor je is. Volgens mij heb je heel veel in je mars. Nog even en ik kan je niets meer leren.' Ze lacht en kijkt me aan. Ze meent het!

Dit moet ik op me in laten werken. Soms ben ik bang dat mensen alleen maar zéggen dat ze m'n muziek zo goed en mooi vinden. Ik vind het altijd moeilijk te geloven.

'Kom, gaan we nu dit nummer spelen.' Anoek zoekt verder in de map en komt met het nummer *Sad and lonely*. 'Jij voelt je verdrietig en je bent bang dat je het jaar niet haalt. Probeer dat gevoel in dit nummer te leggen. Het past er heel goed bij.'

En ja, opeens lukt het wel. Het klinkt zelfs heel goed, al zeg ik het zelf. Mijn tranen worden omgezet in geluid. En wat voor geluid! Ik word helemaal gelukkig van mijn eigen verdriet.

'Mag ik achter de computer?' vraag ik als ik thuiskom.

'Hallo!' zegt mijn vader. 'Zou je niet eerst wat zeggen? Hoe was het op les?'

25

'Dag pap, dag mam, prima.' Ik zeg natuurlijk niets over dat ene wat Anoek zei. Eerst zelf uitvogelen.

Hugo zit achter de computer. 'Ik mag tot negen uur,' zegt hij met iets triomfantelijks in zijn blik. Tuurlijk.

Het is vijf voor negen. Tergend langzaam tikt de klok de minuten weg. Je kunt zeggen van Hugo wat je wil, maar stipt is hij wel. Zodra op het klokje rechtsonderin de 20 in een 21 is veranderd staat hij op.

Ik ga meteen zitten. Ik typ in Google: Havo voor Muziek en Dans. En ja, daar is de website.

Ik lees alles. Mijn mond zakt steeds verder open, mijn hart begint feller te kloppen en mijn handen en hoofd worden warm. Dit is het! Deze school is gemaakt voor mij!

'Je kunt naar een gewone havo gaan en 's avonds en in de weekeinden muzieklessen blijven volgen. Maar de Havo voor Muziek en Dans is veel aantrekkelijker. Hier volg je namelijk de muziek- of danslessen binnen het normale dagelijkse rooster, zoals je ook de lessen van de overige vakken volgt. En dat heeft zo z'n voordelen. Je komt alvast een beetje in het ritme van een studie aan een conservatorium of een dansacademie. Verder hebben al je medeleerlingen net als jij iets met muziek of dans en zijn zij net als jij enthousiast en gemotiveerd. Dat schept een band. En het geeft een heel speciale sfeer.

Bovendien krijg je hier alle muziekvakken van docenten die ook lesgeven aan het conservatorium – van professionals dus.

Aangezien onze school in hetzelfde gebouw huist als het conservatorium, vertoef je als havoleerling dagelijks tussen muziekstudenten: je komt binnen via dezelfde voordeur als zij, neemt dezelfde roltrappen naar boven, eet in dezelfde kantine je boterhammen, musiceert in dezelfde studio's, leent boeken en cd's in dezelfde mediatheek. Dat is bijzonder. Kom zelf maar eens kijken.

Je bent van harte welkom bij de Havo voor Muziek en Dans.'

Ik bekijk de vakken. Niet alleen de gewone vakken, Nederlands en geschiedenis en zo, maar veel muziek, koor, orkest, en bewegingslessen. Zou dat een soort dans of gym zijn? Ik download het bestand met de toelatingseisen voor saxofoon. Da's pittig. Maar het komt me allemaal redelijk bekend voor en sommige stukken heb ik zelfs al eens met Anoek gespeeld.

Er is alleen een groot nadeel. Natuurlijk, zoiets geweldigs kan natuurlijk nooit alleen maar geweldig zijn. Het is helemaal in Rotterdam. En dat is – ik zoek het op op de site van de NS – twee uur en drie kwartier met de trein. Vanaf Groningen, daar moet ik dan eerst nog naar toe, en dat is een half uur met de bus. Niet te doen, dus.

Ik las iets over gastgezinnen. Dat je door de week bij een ander gezin woont en in de weekeinds en vakanties naar huis gaat. Zou ik dat willen? Wonen bij andere mensen. Niet meer elke dag bij mijn ouders. Dat lijkt me erg wennen. Maar zoveel muziek – ik kan me eigenlijk niets beters voorstellen! Het enige wat me echt zorgen baart is de zin: *'Om toegelaten te worden heb je een overgangsbewijs nodig van 3 naar 4 havo.'*

Ik ben er zo vol van, ik ontplof bijna! Iets in mij weerhoudt me ervan om het direct tegen pap en mam te zeggen.

Mijn moeder zit aan de keukentafel een Sudoku te maken en mijn vader leest de krant en probeert ongemerkt in zijn neus te peuteren. Hugo ligt op de bank televisie te kijken.

'Ik ga even een stukje lopen,' zeg ik.

Buiten is het bijna donker en ik loop over het zandpad naar de weg. Heerlijk, die frisse avondlucht! Het is zo mooi. Ze zeggen dat de lucht 's nachts zwart is, maar dat is niet zo. Als je goed kijkt, zie je allerlei kleuren: donkerblauw, paars, soms zelfs groen. Elke dag en elk moment ziet de lucht er anders uit. Elk moment een nieuw prachtig, gratis schilderij.

De lucht geeft me het gevoel dat ik niet alleen ben. Dat ik het niet helemaal zelf hoef te doen. Mensen kijken al duizenden jaren naar de lucht. In de oorlog en in de middeleeuwen en in de oertijd keken ze naar dezelfde lucht als waar ik nu naar kijk en naar dezelfde sterren en dezelfde maan, en over duizend jaar zullen ze dat nog steeds doen. Hoeveel er op de aarde verandert, de lucht blijft altijd. Hoewel, met dat gat in de ozonlaag weet je het maar nooit...

Het waait zachtjes. Intussen ben ik al een heel eind de weg op gelopen en ik kijk achterom. Onder de donkerblauwe wolken ligt ons huis als een grote opgerolde kat te slapen. Uit twee ramen straalt oranjegeel licht. Ik zie ze niet, maar ik weet dat mijn ouders aan de keukentafel zitten en misschien al een wijntje hebben ingeschonken en een bakje pinda's op tafel hebben neergezet.

7.

De volgende dag word ik wakker met het gevoel alsof ik jarig ben. Ik heb de hele nacht gedroomd van feesten waar iedereen saxofoon speelde en een groot schoolgebouw waar op de ramen geschreven was: 'Welkom, Sanne!'

Ik spring uit bed en schuif de gordijnen open. Het regent. 't Kan me niets schelen. Ik ben het eerste uur vrij, dus ik heb geen haast.

'Dus pak maar m'n hand, stel niet te veel vragen, je kunt niet als enige de wereld dragen,' galm ik in de badkamer. Ik doe m'n haar in een losse staart met een vrolijk knalroze elastiek en trek m'n shirt van Pinkpop 2004 aan. Gekregen van Thomas. Ik huppel de trap af.

'Wat ben jij vrolijk.' Mijn vader staat in de keuken tegen het aanrecht een kop koffie te drinken.

Hugo bromt: 'Zeker verliefd.'

'Zoiets,' grijns ik geheimzinnig. Laat ze maar even in de waan.

'Meiden!' Hugo maakt een verveeld gebaar.

Gelukkig zit hij op een andere school en bovendien gaat hij

met de brommer. Hoeven we tenminste niet samen naar Groningen te fietsen.

Ik werk een boterham en een kop thee naar binnen.

'Doei!' doe ik extra meisjesachtig en spring op mijn fiets.

Jammer genoeg fietst Tika vandaag niet met me mee, die moest wel het eerste uur beginnen met een inhaalproefwerk Engels.

Onderweg kan ik nergens anders aan denken dan aan gisteravond. Zou ik het willen? De hele week daar en in het weekeind hier? En ben ik wel goed genoeg? Ik heb op de site gezien dat een meisje van veertien al een cd opgenomen had. Het zijn vast allemaal heel grote talenten. Is het niet een beetje arrogant om te denken dat ik een kansje maak? En: zou ik wel mógen? Ik zal mijn ouders moeten overtuigen. Maar vooral zal ik moeten overgaan.

De regen en wind beuken tegen mij en mijn fiets en blazen steeds een beetje van het blije gevoel uit mijn lijf. Alsof ze willen zeggen: makkelijk wordt het niet, Sanne! Tien kilometer naar school is precies genoeg om weer helemaal bij nul uit te komen.

De dag begint met geschiedenis. Hoewel ik dat normaal gesproken best een leuk vak vind, lukt het me vandaag niet om mijn aandacht erbij te houden.

Ik kijk naar Tika, die naast me zit. Ze ziet er nog steeds uit alsof ze net wakker is, dat kun je zien aan haar kleine ogen en witte wangen. Er hangt een slappe pluk haar langs haar gezicht. Haar ogen zijn erg klein en ze is stil. Ze zal toch niet gehuild hebben?

'Gaat het wel goed?' mime ik.

Ze wuift met haar hand. Vraag me nu niks, want anders moet ik weer huilen, ik vertel het je straks wel, betekent dat. Denk ik.

Het volgende uur hebben we wiskunde. Mijn beste vak. Not.

'Dames en heren,' roept Kernramp. 'Graag jullie aandacht. Jullie hebben mijn weekeind grondig verpest. Ik had gehoopt dat mijn lessen van de afgelopen tijd zó veel indruk hadden

29

gemaakt dat ik mijn rode pen alleen maar voor het zetten van krullen had hoeven gebruiken.'

'Zeg toch gewoon wat je bedoelt, man,' mompelt Tika chagrijnig.

'Het proefwerk is waardeloos gemaakt. Waar-de-loos.'

'Komt omdat wiskunde een waar-de-loos vak is,' zegt Sarah net zo hard dat Kernramp het niet hoort. 'Met een waar-de-lo-ze leraar.'

'Wat zei je, Sarah?'

'Dat ik de volgende keer nog beter m'n best zal doen, meneer Kernkamp,' glimlacht Sarah engelachtig.

Terwijl Kernramp de klas doorloopt en de proefwerken uitdeelt, gaat hij door met klagen. 'Snap niet dat jullie zo laks zijn,' 'hoe moet dat in havo vier als het allemaal nog veel moeilijker wordt,' 'jullie verprutsen je kansen.'

Tika maakt een gaapbeweging naar mij als Kernramp niet kijkt.

'En jij,' zegt hij tegen mij, 'zult wel heel hard moeten werken.'

Ik durf niet meteen te kijken als hij mijn papier op de bank legt. Pas als hij verder gaat met de les, kijk ik. Er staat een dikke vette vier op mijn wiskundeproefwerk.

Ik verkreukel het vel tot een prop en als de bel gaat, gooi ik het in de prullenbak. Zo gaat het hele feest in elk geval niet door.

In de pauze lopen Tika en ik een rondje door de wijk om de school. Dat lukt precies in twintig minuten, weten we. Zo kunnen we net voor de bel weer op onze plek zitten. Voor ons lopen Bo en Jasper te ruziën. Die twee hebben al ik weet niet hoe lang een knipperlichtrelatie.

'Gaat het goed met je?' vraag ik aan Tika. Ik zet mijn tanden in een groene, glimmende appel.

Tika tuit haar lippen. 'Mwoah. Slecht geslapen. Het was niet zo gezellig gisteren tijdens het eten. Het leek wel of mijn ouders vergeten waren om de diepvries dicht te doen. Ze hebben de hele avond geen enkel woord tegen elkaar gezegd en tegen mij deden ze poeslief. Net alsof ik een achterlijke gek ben of zo, die niks doorheeft. Ging mijn moeder een glas fris pakken. Wacht mijn vader tot ze zit en dan gaat hij voor zichzelf een glas fris pakken.'

'Hadden ze ruzie?'

'Was het maar waar. Dan gebeurt er tenminste wat. Kunnen ze het weer goedmaken. Maar dit is erger.'

Ze zucht diep. 'Soms zou ik willen dat ze dan maar gingen scheiden, dan zouden ze misschien los van elkaar weer blij worden. Maar ja, willen dat je ouders gaan scheiden, dat is ook niet echt een gedachte die je wilt hebben.'

'Nee, inderdaad.' Ik kan me met de beste wil van de wereld niet voorstellen dat ik ooit zou wensen dat mijn ouders uit elkaar zouden gaan.

'Maar genoeg. Hoe is het met jou?'

Tika klinkt opeens een stuk opgewekter. Ik hoor wel dat dat niet echt is, maar ik begrijp dat ze er nu niet meer over wil praten. Er vliegt een vlinder door mijn buik als ik aan mijn ontdekking van gisteravond denk. Zal ik het vertellen? Het lijkt zo stom om iets leuks over jezelf te vertellen als je vriendin net in een dip zit.

'Vertel maar gewoon. Ik zie aan je dat er iets leuks is. Nou, wie heeft er hoi tegen je gezegd?'

'Haha, nee, ik heb iets ontdekt. Een school.'

Ik vertel.

'Doen!' zegt ze. 'Ik zal je als een gek missen, maar dat moet je gewoon doen. Dat is echt wat voor jou!'

Ik merk dat ik loop te grijnzen. Wat fijn als iemand anders het ook zo ziet zitten.

'Wat vinden je ouders ervan?'

'Oeps. Die weten het nog niet.'

We lopen langs een huis waar zes gitaren aan de muur hangen. Wie zou daar toch wonen?

'En er is nog wat.' Ik hap het laatste stuk appel weg en gooi het klokhuis in een container.

31

'Wat dan?'

'Het is in Rotterdam. Niet te doen met de trein elke dag. Moet ik in een gastgezin of zo.'

'In Rotterdam? Leuk. Dan kom ik logeren en dan gaan we stappen.'

Da's nou weer echt iets voor Tika. Om het zo te zien. Wat ben ik blij met haar als vriendin. We brainstormen nog even verder over wonen in een stad.

'Kom je vanavond een filmpje bij me kijken?' vraagt ze.

'Nee, ik kan niet. Ik moet repeteren. Winterfestival.'

'Alweer?'

Tika verbaast zich erover dat we zo fanatiek zijn met repeteren. Twee, drie keer in de week en zoals nu elke dag, het maakt me niets uit.

Precies op tijd zijn we weer terug op school.

8.

Ik parkeer mijn fiets voor het witte huis achter de perenbomen.

Door het raam zie ik opa aan tafel zitten. Als hij me ziet, staat hij op en pakt hij de fluitketel. Ik kom door de achterdeur binnen. Binnen ruikt het naar een soort ragout die op het fornuis staat te pruttelen.

'Is oma soms naar fysio?' vraag ik. 'Dat is toch op donderdag?'

'Nee,' zegt opa. 'Ze ligt in bed. Moe. Ga zitten.'

Ik ga zitten. 'Wat was u aan het doen?'

'Aardappels schillen.'

'Wat gaan jullie eten dan?'

'Aardappels.'

'Aardappels?'

'Ja. Met ragout.'

En het gesprek valt weer dood. Ik twijfel; het is zo stom om nu al weg te gaan, maar om nu nog een half uur met opa te gaan zitten zwijgen... Ik kan niks meer bedenken om te vragen. Opa schilt maar door, alsof er tien man komt eten.

Dan hoor ik een dunne stem 'Huib' roepen uit de kamer aan de achterkant.

'Ze is weer wakker.' Opa lijkt ook wel opgelucht. 'Loop maar mee.'

In de kamer aan de achterkant van het huis, die uitkijkt op de moestuin, staat het bed van opa en oma. Vroeger was dit de woonkamer, maar omdat oma geen trappen meer lopen kan, staat hier haar bed. En nu is de woonkamer wat lang geleden de opkamer was, de mooiste kamer van het huis.

'Hé, Sanne! Ik verwachtte je al. Ga zitten.'

Ik ga op de rand van het bed zitten terwijl ik opa theezetgeluiden hoor maken. Lang geleden dat ik bij oma op bed zat. Toen ik klein was, logeerde ik vaak bij opa en oma. Als opa dan 's morgens allang aan het werk was, kroop ik bij oma in bed en lazen we honderd boeken, aten we beschuitjes en appels en peren van hun eigen bomen. Oma liet me allerlei muziek horen en dan luisterden we samen en probeerden we onder woorden te brengen waarom het nou zo goed was. Wat nooit lukte, trouwens. Dat waren echt gave dagen. Soms bleven we tot de middag in bed en als opa dan terugkwam om een boterham te eten, vond hij het volslagen belachelijk dat we nog niks nuttigs gedaan hadden. En dan kregen oma en ik de slappe lach. Zelfs met mijn vader of met Tika heb ik niet dat gevoel van zo samen te kunnen zijn. Jammer genoeg werd oma te moe en ik te oud om nog te gaan logeren. Gek dat je dat niet meer doet als je ouder wordt, terwijl ik het best graag nog een keer zou willen doen.

Oma gaat rechtop zitten en pakt haar bril van het nachtkastje.

'Er is wat met je,' zegt ze. 'Ik zie het. Vertel.'

Da's echt weer wat voor mijn oma. Toen ik net gehoord had dat ik bleef zitten in de brugklas, was ik niet plan om dat oma meteen te vertellen. Maar ze zag het aan me. Direct. Ik weet niet hoe ze dat doet.

Ik vertel van de Havo voor Muziek en Dans.

'Wat geweldig,' zegt oma. 'Moet je doen! Was er maar zoiets geweest toen ik jong was. Je kunt niet vroeg genoeg met zoiets beginnen. Wat vinden je ouders ervan?'

'Die weten het nog niet.'

'Mmm.'

'Misschien vinden ze de school zelf nog wel oké. Maar het is helemaal in Rotterdam. Dat is tweeënhalf uur met de trein. En een half uur met de bus.'

Oma neemt een slokje van haar thee. 'Hoe wou je dat voor elkaar krijgen?'

'Ik ga gewoon in Rotterdam wonen. Bij een gastgezin.'

Oma glimlacht en staart naar buiten. 'Alle vogeltjes vliegen een keer uit.'

Toevallig landt er net een musje buiten op de vensterbank, dat even om zich heen kijkt en dan weer wegvliegt.

'Ik zou het maar gauw ter sprake brengen, San. Dan kun je je des te beter voorbereiden op de auditie.'

Oma heeft gelijk. Zodra ik thuis ben, zal ik het vertellen.

Mijn vader staat zijn tas in te pakken om naar de schilderclub te gaan en mijn moeder is aan het bellen. Als ze de telefoon neergelegd heeft en iets opschrijft en mijn vader de klink van de deur in zijn hand heeft om weg te gaan, zeg ik: 'Ik moet wat vertellen.'

Mijn vader draait zich om en mijn moeder kijkt me verbaasd aan.

'Ik wil naar de Havo voor Muziek en Dans.'

Ik zie dat mijn ouders elkaar een kwart seconde aankijken.

'Wat is dat dan?' Mijn vader zet z'n tas op de grond.

'Dat is een gewone havo, maar dan met heel veel muzieklessen. Op school. Het hoort er dan gewoon bij.'

'O ja? En dan kun je gewoon je diploma halen?' vraagt m'n moeder.

Ik knik. 'En dan maak je veel meer kans om toegelaten te worden tot het conservatorium.'
'En die lessen zijn op school?' zegt pap. 'Onder schooltijd?'
'Het ís schooltijd. Je rooster is bijvoorbeeld: eerste uur Nederlands, tweede uur saxles, derde uur aardrijkskunde, vierde uur zangles. Zoiets.'
Mijn vader trekt zijn wenkbrauwen op.
Mijn moeder bijt op haar onderlip. 'En kun je daar gewoon naar toe?'
'Als je het toelatingsexamen haalt.'
'Het klinkt wel als iets voor jou,' zegt pap. 'Is het in Groningen?'
'Nou, dat is nog wel even iets.' Ik ga rechterop staan.
'Het is in Rotterdam.'

9.

Mijn ouders moesten erover nadenken en het er met elkaar over hebben, zeiden ze. En sindsdien heb ik ze er niet meer over gehoord. Daar snap ik nou niks van. Denken ze soms dat ik het ga vergeten als ze het er maar lang genoeg niet over hebben?
In februari is de open dag. Als het moet, ga ik gewoon alleen. Of met Tika.

De tijd vliegt voorbij en vandaag, op de eerste dag van de kerstvakantie, zit ik aan mijn huiswerk, echt waar! Nog een paar uurtjes wiskunde voor we weer gaan repeteren met de band. 't Is niet te geloven hoe hard ik werk, ik ben trots op mezelf. En het werpt ook al vruchten af: ik heb zowaar de laatste tijd vier voldoendes gehaald, waarvan één acht. Ik denk er maar even niet aan dat ik ook nog een vier en een vijf heb gehaald.

En nu zit ik zelfs op m'n vrije dag achter mijn bureau. Het scheelt natuurlijk dat ik net een nieuwe cd van Wouter Hamel heb gekocht. Ik zet mijn koptelefoon op en zo hou ik het wel vol. Kom maar op met die wiskunde. Hebben mijn beide hersenhelften wat te doen.

Anderhalf uur vliegt voorbij. En dat weet ik zo precies omdat ik de cd twee keer beluisterd heb en die duurt 45 minuten. Gigantisch goed is ie. Ik zet hem nog een keer op. Bijna jammer dat ik de cd af moet zetten als het tijd is om te repeteren.

Het Winterfestival is over twee dagen. We wonen ondertussen bijna in de koelcel. Omdat ik elke dag braaf mijn huiswerk maak en dus nu ook in de vakantie, doen mijn ouders er niet te moeilijk over. En het is echt wel nodig dat we zo veel repeteren, want het loopt soms allemaal erg stroef. De spanningen lopen aardig op, zo nu en dan.

'Als jij nou hier bij *As you are* er een A majeur overheen zet.' Thomas heeft rode oren en zijn haar zit in de war. 'Komt er net wat meer swing in.'

'A majeur?' Ik tuur naar de akkoorden die we net ook al veranderd hebben. 'Zou ik niet doen. Dan wordt het zo... zo scherp. Jamie, wat denk jij?'

Jamie fronst. 'Lastig. Ik wil het wel proberen, maar ik weet niet of me dat lukt.'

'We gaan het toch niet weer veranderen?' zegt Emma. 'Ik heb het net zo geleerd. Bovendien vind ik het mooi zat zo.'

'Mmmm.' Thomas steekt de pen achter zijn oor. 'We laten het wel zoals het is. Maar dan met wat meer power erin. Kom, we proberen het nog een keer.'

'Zullen we dat straks doen?' Emma rekt zich langdurig uit en gaapt. 'Ik heb honger. Zal ik frietjes halen?'

'Oké,' zegt Thomas terwijl hij razendsnel over de snaren tokkelt. Je ziet z'n vingers bijna niet.

'Zelfde als de vorige keer?' Ze staat al bij de deur.

'Prima, joh.' We geven haar geld.

Jamie oefent de stukken die hij lastig vindt een paar keer en Thomas en ik gaan even een frisse neus halen. De zon schijnt. Emma fietst de bocht om.

Thomas maakt een bijtbeweging en gromt. 'Pffff. 't Is dat ze zo goed kan zingen. Maar anders!' Met een plof springt hij op het elektriciteitshuisje.

'Je kunt er nog wel naast.'

Ik klim naast hem.

Samen zitten we gewoon even te zitten. Het oppervlak van het huisje is warm geworden van de zon. Hoewel het bijna kerst is, heeft de zon behoorlijk wat kracht. Lang leve het broeikaseffect!

'Ik ga toelatingsexamen doen.' Thomas bijt op een nagel. 'Voor het conservatorium.'

'Echt?'

Hij lacht. 'Door jouw enthousiaste verhalen dacht ik bij mezelf: ik wil dat ook. Terug naar school, haha!'

'Wanneer?'

'In februari. Ik vind het heel spannend.'

'Ja, dat kan ik me voorstellen. Leuk, als ik dan in Rotterdam klaar ben, kom ik gewoon bij jou op school.'

Hij kijkt me aan en net als ik dat te lang vind duren en een andere kant op wil kijken, knipoogt hij en lacht.

Dat is gek. Ik zag iets in zijn ogen wat ik niet direct thuis kon brengen. Het blijft een beetje tussen ons in hangen. Ik voel me opeens heel dicht bij hem zitten op dat elektriciteitshuisje en ik zou willen dat het iets breder was, dan kon ik ongemerkt wat verder weg gaan zitten.

Ik probeer wat te verzinnen om over te praten, maar ik kom niet verder dan het optreden.

Gelukkig komt Emma snel terug met de friet. Binnen scheuren we de zak open en verdelen de buit. Als ik stiekem naar Thomas kijk, kijkt hij net van me weg.

Als alles op is, zegt hij: 'Zullen we morgen nog één keer alles doornemen? De generale repetitie.'

Zelfs Emma zeurt niet; waarschijnlijk heeft ze goed in de gaten dat ze elke repetitie hard nodig heeft, zo vlak voor Het Optreden. Wij allemaal trouwens. Vooral *Music is my love* gaat voor mijn gevoel nog niet helemaal oké.

Over twee dagen móet het goed gaan.

10.

Ik zet de kraan aan en laat het water in het bad klateren. Met mijn hand in de straal wacht ik tot het water van ijskoud tot bijna te warm is geworden. Dit is al de derde keer deze week dat ik in bad ga. Ik moet alles weer even op een rijtje krijgen: het optreden, mijn irritaties over Emma en Jamie, de school en de havo en mijn ouders en die rare blik van Thomas. Ik wil m'n hoofd zo leeg mogelijk maken voor morgen. De Dag.

Als het bad bijna vol is, loop ik naar mijn kamer om een handdoek te pakken en het flesje badolie dat ik van Tika heb gekregen.

Op de gang hoor ik mijn ouders beneden praten.

'Ik was er al bang voor,' hoor ik mam zeggen.

'Waarvoor?'

'Dat ze dat van je moeder zou hebben. Die blinde passie voor muziek.'

Ik hoor geritsel, er wordt een krant opengeslagen.

'Daar is toch niks mis mee. Mijn moeder heeft zich altijd prima kunnen redden.'

'Ja, omdat ze getrouwd is.' Mam zet koffiekopjes op het aanrecht en slaat de deurtjes dicht. 'Tegenwoordig moet een vrouw voor zichzelf kunnen zorgen. Ik weet het niet, hoor.'

Het is stil. In gedachten zie ik mijn moeder koffiezetten en mijn vader over de krant gebogen aan de keukentafel zitten.

Mijn moeder zucht. 'En dan zo'n eind weg. Ze is nog maar zo jong.'

Nou, jong...? denk ik.

'Ze redt zich wel,' zegt mijn vader.

Kling, kling, twee lepeltjes in kopjes. Het is net een hoorspel.

'En wat als ze het niet redt? Dan heeft ze niks. Geen opleiding en geen studiebeurs meer.'

Het blijft stil. Ik hoor wat heen en weer geloop en gestommel. 'Tja, dat risico loopt iedereen.' Pap kucht. 'Als je ergens aan begint, kan het altijd mislukken. Dat moet geen reden zijn om het niet te doen.'

Nu blijft het heel lang stil. Ik hoor aan het water dat het bad echt bijna vol is en ik wil net doorlopen als mijn moeder zegt: 'We moeten er nog maar eens een goed gesprek over voeren. Ik vind het zonde. Wat is muziek nou helemaal? Een kinderlijke droom, ingegeven door een oma die het allemaal vreselijk idealiseert. Ze heeft er zelf geen droog brood mee kunnen verdienen. Dat wens je een kind niet toe. Zeker niet in deze tijd.'

Ik weet dat ik niet had mogen luisteren, maar het kan me niet schelen. Ik loop de trap af en roep tegen mijn moeder: 'Dat jij nou geen dromen hebt. Dat geeft je nog geen recht om die van mij kapot te maken!'

'Heb je staan luisteren?' Mijn moeder kijkt me aan met een blik van staal.

'Niet stiekem. Ik kon jullie gewoon horen op de overloop. Maar wat dan nog? Dit is toch wat je echt denkt? Dat muziek een soort vage hobby is en dat ik een echt vak moet gaan leren?'

'Lieverd, luister. Je kunt toch ook muziek blijven maken in je vrije tijd?'

'Dat is zó stom,' roep ik. 'Je zegt ook niet tegen iemand die chirurg wil worden: ga maar fijn in je vrije tijd opereren. Of tegen iemand die brandweerman wil worden: blussen oké, maar alleen na werktijd. Waarom mag ik van muziek niet mijn werk maken?'

'Omdat,' zegt mam, 'omdat dat onzeker is. Ik zou het vreselijk voor je vinden als je later toch niet van de muziek kunt leven en een vervelend baantje moet nemen om de kost te verdienen. Je zult voor jezelf moeten kunnen zorgen en jou kennende denk ik dat je dat ook wilt. Je kunt toch ook heel veel extra muzieklessen nemen naast een opleiding? Er is vast nog wel meer wat je leuk vindt.'

'Een opleiding voor iets wat ik niet wil en niet kan. Alleen om geld te verdienen.'

'Daar heb je nu nog geen idee van.' Mam klinkt opeens een stuk rustiger. 'Maar geldzorgen zijn rotzorgen.'

'Poeh! Liever rotzorgen dan een rotbaan.'

Mijn moeder trekt haar wenkbrauwen op. 'Tegen zoveel koppigheid kan ik niet op,' zegt ze, meer tegen zichzelf dan tegen mij en ze gaat theedoeken opvouwen en in de kast leggen.

Mijn vader heeft al die tijd gezwegen.

Wat moet ik nou?

Ik wil hier even helemaal niet meer zijn!

Ik loop de deur uit, naar buiten. Ze houden me niet tegen.

Ik spring op mijn fiets en rijd de donkere weg op. Het is koud, de wind blaast tranen uit mijn ogen, warm rollen ze over mijn wangen. Gelukkig kan ik een echte huilbui wegdrukken voor ik bij het witte huisje kom.

Door het raam zie ik dat opa en oma samen het journaal aan het kijken zijn. Door de achterdeur loop ik naar binnen; het is er warm.

Ik zie dat opa schrikt als hij me opeens in de kamer ziet staan. Stom! Ik had moeten aanbellen. Ze verwachten me natuurlijk niet 's avonds.

'Hé, dag lieverd,' zegt oma. 'Kom zitten. Er is nog thee. Huib, wil jij dat inschenken?'

Opa staat moeizaam op en oma slaat een paar keer met haar vlakke hand op het kussen naast zich.

Ik ga op opa's warme plek zitten. Oma blijft naar de tv kijken. Heerlijk, alleen maar hier zijn. Ze vragen gelukkig niet meteen waarom ik er ben.

Als opa de thee ingeschonken heeft en de weersvoorspelling geweest is, zet oma de tv uit.

'Nou. Wat is het. Zien ze het niet zitten?'

'Nee. Mijn ouders liggen dwars. Mijn moeder vooral. Die denkt dat ik het niet red met m'n sax.'

'Tja kind, daar heb je ouders voor. Die willen het beste voor je. De opleiding met de meeste mogelijkheden. Da's wel begrijpelijk, toch?'

'Hm.'

'Ouders zien meer de grote lijn. Ze weten alles van wat er mis kan gaan en willen jou een zo stevige mogelijke basis geven. Logisch, allemaal logisch. Maar jij zit er heel anders in. Jij ziet en voelt alleen maar heel sterk wat je wilt en wat je kunt en dat is spelen.'

'Tja,' zeg ik.

Ook al is de thee op, ik zit nog met het glas in mijn handen. Het licht van de kaarsen op tafel valt er zo mooi op. Eerlijk gezegd had ik op een iets ander antwoord gerekend.

'Er zit maar één ding op,' zegt oma. 'Overtuig ze niet met woorden. Dat heeft geen zin. Overtuig ze door te laten hóren wat je kunt. Laat het ze voelen. Sleep ze mee naar het Winter-festival en blaas hun hersens achterstevoren. Dan snappen ze wel dat jij niet anders kunt.'

We kijken elkaar aan. Ik denk na over wat ze gezegd heeft.

Opa heeft een muziekje opgezet en schenkt me weer thee in.

Ik blijf nog een tijd zitten. Wat is het hier toch fijn! We praten wat over de muziek, over het journaal waar iets op was over plannen om de studiebeurs te veranderen.

Uiteindelijk ga ik maar. Ik denk aan het stuk dat ik nog moet fietsen en hoe koud het op de heenweg al was. Jammer dat ik niet in één flits van de ene warme woonkamer naar de andere kan schieten.

Ik buig me naar oma en geef haar een kus.

'Bedankt, oma.'

'Zet hem op, Sanne.'

41

Het is koud, het waait, en de weg naar huis duurt veel langer dan de heenweg.

Als ik thuiskom, zitten mijn ouders niet, zoals ik had verwacht, op de bank of aan de keukentafel. Sterker nog: ik zie ze helemaal niet. De tafel staat helemaal aan de kant geschoven, er staan een paar emmers in de keuken en er liggen handdoeken op de grond. Van boven hoor ik vreemde geluiden. De trapdeur staat open.

'Wat doen jullie?' Ik laat het zo vriendelijk mogelijk klinken, in de hoop dat ze aan mijn stem meteen horen dat ik weer vrolijk ben.

'Wat we doen?' roept mijn moeder, juist heel chagrijnig. 'Dat had ik beter aan jou kunnen vragen.'

Mijn vader steekt zijn hoofd om het traphek. Hij heeft zijn mouwen tot aan zijn ellebogen opgerold. Hij ziet er verhit uit.

Opeens dringt er iets tot me door.

Het bad. Ik ben vergeten het bad uit te zetten.

'Helemaal overgestroomd,' roept mijn moeder. 'We zaten tv te kijken toen jij weg was en ik dacht: wat hoor ik toch? Het drupte dwars door de vloer heen. We zijn al uren aan het dweilen.'

Oeps.

Ik gooi mijn jas over een stoel en ren naar boven.

'Ik help.'

'Daar ben je dan mooi op tijd mee,' mompelt pap. 'Waar zát je?'

'Bij opa en oma.'

'Zei ik toch,' zegt mam tegen pap.

Ik pak een handdoek uit de kast, de laatste droge, en probeer het water uit de vloerbedekking van de gang op te nemen.

We zijn nog een uur bezig om de vloer toonbaar te maken. Zelfs Hugo helpt mee. Gek genoeg is het wel gezellig, zo met z'n allen. We worden er zelfs een beetje melig van.

'Mam, jij wou zo'n ouderwets bad zonder overloopgat.' Ik

wring alweer een handdoek boven de emmer uit. 'Omdat het zo mooi in het huis paste.'

'Ja, hallo! Straks weet je het nog zo te draaien dat ík het gedaan heb.' En ze gooit een natte spons naar m'n hoofd.

'Zo. Dit lijkt me wel genoeg voor vandaag.' M'n moeder zet haar armen in haar zij. 'Nou maar hopen dat het nog een beetje fatsoenlijk opdroogt. Een paar gipsplaten op het plafond zijn doorweekt.'

'Ik zal morgen de verzekering eens bellen of ze dit vergoeden.' Mijn vader gooit de laatste emmer in de wc leeg. 'We zouden eigenlijk een speciale dochterpolis moeten afsluiten.'

Nou is het mijn vaders beurt om een spons naar zijn hoofd te krijgen.

11.

Thomas heeft zijn nagels tot aan het tweede kootje opgegeten, Emma heeft in korte tijd zes sms'jes gestuurd en tuurt continu naar het schermpje, waardoor haar gezicht een blauwe kleur krijgt. Maar goed dat ze dat zelf niet kan zien. Jamies wild gekrulde haar is tot grote hoogten opgeföhnd. Hij staat voortdurend met zijn drumstokken op zijn broek te trommelen en ik sta maar een beetje voor me uit te staren.

We staan aan de achterkant van het grote podium in de Muziekhal te wachten tot we aan de beurt zijn. Allemaal hebben we een rood bandje om onze pols: we zijn nu officieel artiesten en we mochten zo naar binnen lopen.

Het theater is tot de nok toe gevuld, het Winterfestival is helemaal uitverkocht. De vrijkaartjes die ik had, heb ik aan mijn ouders en aan Tika gegeven. Ik heb hen nog niet gezien. Hugo zou ook komen met een stel vrienden.

Om ons heen is het een wirwar van allerlei heen en weer lopende en bellende mensen, warme lampen, muziek en het geschreeuw van publiek. De bas dreunt in m'n lijf en het geluid staat zo hard dat ik m'n eigen gedachten nauwelijks kan horen. Dat komt goed uit, want mijn hoofd moet zo leeg mogelijk zijn voor wat er zo komen gaat.

De band die nu speelt, is erg goed. Het publiek zingt mee, er wordt geklapt en gejuicht alsof Nederland met een-nul wint.

En dan zijn wij aan de beurt.

'Dames en heren,' roept de presentator. Zijn stem galmt door de ruimte. 'Ze oefenen in winterjassen en met mutsen. Ze zijn jong en ze swingen de pan uit. Ze hebben alle vier talent en schrijven hun eigen nummers! Onthoud deze naam, u gaat nog veel van ze horen! Graag een ontzettend hard applaus voor *Music from the Friiiidge*!

De zaal schreeuwt en juicht. De adrenaline giert door mijn keel.

'Kom,' zegt Thomas.

We rennen het podium op. In een flits zie ik honderden mensen in de zaal. Een tiental lampen staat op ons gericht, warm en fel. We gaan op onze plekken staan, ik hang mijn sax om mijn nek en Thomas pakt de microfoon.

'Hallo, Groningen,' roept hij. 'Fantastisch om hier te zijn!'

Het publiek roept hallo terug. Thomas zet de microfoon terug in de standaard en ik zie dat hij even zijn wenkbrauwen fronst. Jamie telt af. Thomas kijkt me heel even aan.

Daar gaan we. Met een timing die niet beter had gekund knetteren we het beginakkoord van *Swing Time* de zaal in. Vanaf de eerste seconde gaat het publiek mee. Vooraan beginnen zelfs wat mensen te dansen.

Ik speel alle nummers uit m'n hoofd. De eerste paar nummers doe ik meestal met m'n ogen dicht, maar al gauw voel ik hoe goed het gaat. Ik kijk af en toe de zaal in.

Wat zijn de mensen enthousiast! Sommige stukken in het refrein zingen ze zelfs mee, van onze eigen geschreven nummers! Emma zingt goed, ze kent bijna alle teksten. Ze maakt een paar fouten, maar ik weet zeker dat het publiek dat niet hoort. Bij *I will never leave you*, een rustig en romantisch liedje, zie ik achterin een paar aanstekers de lucht in gaan.

Ons eigen nummer *Feel your heart* is echt de knaller van de avond. Thomas en ik gaan volledig uit ons dak. Het is dat ik wéét dat Jamie en Emma er ook zijn en de zaal vol wild publiek is, maar het is echt alsof Thomas en ik samen op het podium staan. We maken samen deze muziek. Na het derde refrein kijkt Thomas me aan en knikt onmerkbaar.

Ik doe een paar stappen naar voren en val in op de derde tel. Ik heb dit zo vaak gespeeld, het zit helemaal in m'n vingers en ik hoef er niet meer bij na te denken. Alsof ik water uit een tuinslang de zaal in spuit, zo vloeiend loopt mijn solo eruit. Het gaat helemaal vanzelf.

Na de laatste tonen woelt Thomas met zijn hand door mijn haar.

'Ge-wel-dig!' zie ik hem zeggen, want door het oorverdovende applaus van het publiek horen we elkaar niet.

Volgens mij staan er een paar fans van Thomas vooraan, want een stuk of wat meiden zijn naar hem aan het gillen en zwaaien. Verder kijk ik niet naar het publiek, of ik mijn ouders of Tika zie. Ik weet dat ze er zijn en dat is genoeg.

'Groningen, bedankt!' roept Thomas.

We zwaaien en verdwijnen door de zware gordijnen.

Achter het podium slaan we onze handen tegen elkaar: dat ging écht goed. Emma ziet er opgelucht uit en Jamie heel verhit. We delen een literfles water, die is zo leeg.

'*We want more! We want more!*' roept de zaal.

De organisator komt naar ons toe rennen. 'Terug,' lacht hij breeduit. 'Ze willen meer! Zo heb ik ze nog nooit gezien!'

Daar hadden we stiekem al een beetje rekening mee gehouden. Thomas grijnst. We klimmen het podium weer op. En daar gaat *Music is my love*. Omdat het zo goed gaat, kijk ik de zaal in. En daar, ergens aan de zijkant, zie ik mijn ouders. Mijn vader heeft zijn ene arm in de lucht gestoken en zwaait ermee op de maat en met de andere filmt hij ons en ik zie dat mijn moeder, hoewel minimaal, ook beweegt. De muziek heeft haar ook gegrepen. En vooraan staat Tika mee te blèren. Dit nummer heeft ze al zo vaak moeten horen als ze bij me was. Als we echt klaar zijn en achter het podium zitten met een flesje cola van de zaak, grijnzen we elkaar een beetje stom aan. Helemaal leeggespeeld, helemaal blij.

Als we weer tussen het publiek komen, komen er mensen naar ons toe die een cd willen kopen. Die hébben we nog niet eens! Thomas straalt en staat met iedereen te praten en Emma zet her en der handtekeningen. Grappig eigenlijk dat zangers en zangeressen altijd meer aandacht krijgen dan de rest van de band?
Iedereen is echt erg enthousiast. En daar staan mijn vader en moeder, ze staan te praten met wat mensen.
'Geweldig!' Mijn vader slaat zijn arm om mijn nek als hij mij ziet. 'Mijn dochter.'
M'n moeder staat erbij te lachen.
'Nou, wat vond je ervan?' vraag ik.
'Dat klonk prima,' zegt ze.
Ik zie dat ze het probeert te menen, wat ik heel lief vind.
Hugo komt naar me toe en stompt me vriendelijk op mijn bovenarm. 'Dat was écht goed.'
Ik kijk naar zijn ogen of hij me in de maling zit te nemen, maar hij houdt me dit keer niet voor de gek.
'Da's me zussie!' zegt hij tegen een jongen die ik niet ken.
De jongen steekt zijn duim op en zegt iets wat ik niet versta door het publiek dat juicht voor een nieuwe band. Die is ook erg goed, maar ik vind dat wij er zeker niet voor onderdeden.

'Wil je dit briefje maandag aan je mentor geven?'
Mijn vader geeft me een envelop. We zijn net terug van het optreden, het is midden in de nacht en helemaal donker en stil buiten en we zitten nog even na te genieten in de keuken.
'Wat staat erin dan?' vraag ik.
'Of je vrij mag.'

'Vrij?' Mijn pa spreekt soms in raadselen, ik snap er niks van.

'De open dag. Ik neem dan ook vrij. We gaan samen naar Rotterdam.'

Het duurt één seconde. En dan dringt het tot me door: mijn ouders vinden het goed! Ze staan achter me!

Pap lacht, maar hij kan het niet laten om te zeggen: 'Je wéét dat je dit jaar moet halen om...'

'Ja, pap,' zeg ik. 'Ik weet het.'

Ik vlieg hem om zijn nek en hij verliest zijn evenwicht en samen rollen we over de vloer. Mijn moeder glimlacht.

12.

'Weet je zeker dat je niks met Thomas hebt?' vraagt Tika.

Ik kijk haar aan. Zo'n stomme vraag heb ik nog nooit gehoord.

'Natuurlijk weet ik dat zeker,' zeg ik, bijna kribbig.

'Zoals jullie daar samen stonden op het podium. De vonken knalden er vanaf.'

'Dat heeft alleen met muziek te maken.'

'Mmm.' Tika kijkt ondeugend. 'Denkt Thomas er ook zo over?'

'Ja.' Ik leg er een dreigende 'ik wil het er niet meer over hebben'-toon in.

We zitten op Tika's kamer. Tika heeft een enorme kamer, met balkon, die vol staat met spullen. Ze heeft een iPod en een gamecomputer en een platte tv. En ze heeft een laptop met draadloze internetverbinding, zodat ze van elke plek in haar huis kan internetten en msn'en. Ook buiten. Of zoals nu, liggend op haar bed.

'Kijk.' Ze opent een nieuwe pagina. 'Ik heb Thomas gevonden op Hyves.'

We kijken samen naar zijn profiel. Er staat een mooie foto van hem op. Eigenlijk is ie best leuk, met zijn blonde haar en blauwe ogen en hij kan vooral heel lief lachen. En wanneer hij gitaar speelt, kijkt hij zo ontzettend schattig-boos. Hij heeft enorm veel Hyvesvrienden, veel meiden. Vast allemaal fans.

'Hé, hij kent Thijs!'

Meteen klikt ze door naar Thijs. Thijs is ook leuk. Een grote bos haar, kuiltjes in zijn wangen en bruin, alsof hij altijd buiten is.

Ik kijk naar Tika. Ze is weer naar de kapper geweest en heeft haar donkere haar nu flink kort laten knippen. Het staat haar goed. Eigenlijk staat alles haar goed, ze ziet er altijd leuk uit.

'Kijk, Thijs houdt ook van zwemmen. En van lasagne. Net als ik!'

'Voeg hem dan toe als vriend.'

'Dat durf ik nooit! Hij weet echt niet wie ik ben.'

'Nee, en zo komt hij er ook nooit achter natuurlijk!'

Tika lacht. Ik ken haar lang genoeg om te weten dat het nog heel, heel, erg lang zal duren voor ze ook maar iets zal doen om in Thijs' blikveld te komen. Dromertje.

Tika en ik zijn al lang vriendinnen. Op de kleuterschool zaten Tika en ik naast elkaar en omdat zij geen broers of zussen heeft, mocht ik vaak mee op vakantie. Zo ben ik in Griekenland geweest en Italië, en het mooiste was de reis naar Marokko. We hebben een jaar niet bij elkaar in de klas gezeten, dat was toen ik bleef zitten. Het jaar erop bleef zij zitten.

'Expres,' zei ze toen. 'Ik miste je zo.'

Verder heb ik weinig vriendinnen. Ik vind dat zelf geen probleem. Mijn moeder vindt soms dat ik wat vaker de hort op moet. Maar ik heb daar helemaal geen zin in. Die meiden uit mijn klas kunnen zo eindeloos kwaken over dingen waar ik niks aan vind. En niemand kent mij zo goed als Tika. Ik hoef haast nooit iets uit te leggen.

'Weet je wat ik doe,' zegt Tika uiteindelijk. 'Ik voeg Thomas toe. Dan sta ik ook bij hem tussen zijn vrienden. En wie weet, op een dag, ziet Thijs mij.'

'Tussen alle honderden meiden. Wat een fans heeft hij!'
'Thomas keek anders wel erg naar jou, toen je die solo speel-
de.' Ze surft weer terug naar Thomas en klikt op '*voeg toe als
vriend*'.
'Hoe keek hij dan?'
'Nou, een beetje alsof hij...' Tika zoekt het goeie woord. 'Trots
was, leek het wel.'
En dat vind ik toch wel leuk om te horen.

13.

'Wil je nog een pepermuntje?'
Mijn vader steekt zijn hand uit zonder dat hij uit zijn krant
opkijkt. Ik leg het een na laatste snoepje in zijn hand en steek
het laatste in mijn mond. Op. En we zijn nog niet eens bij
Zwolle! Tot nu toe gaat de trein volgens schema. Nog twee uur
en we zijn in Rotterdam.
Mijn vader en ik zeggen niet veel tegen elkaar. Hij zit in z'n
krant en ik kijk naar buiten. Heerlijk vind ik dat. Boerderijtjes
kijken en naar voorbijsjezende koeien en naar de steeds veran-
derende lucht. Tussen Zwolle en Amersfoort is het een en al
bos, ik wist niet dat we zo veel bomen in Nederland hadden.
Of zou het één brede strook zijn waar de trein toevallig doorheen rijdt?
Voorbij Utrecht word ik onrustig.
'Wil je m'n krant?' vraagt pap.
'Ruilen?' Ik houd hem mijn nieuwe *Oor* voor.

Tegen elven stappen we uit op Rotterdam Centraal. Wat een
enorme flats staan hier! Het lijken wel wolkenkrabbers en met
een klein beetje fantasie waan ik me zo in New York. Niet dat
ik daar ooit geweest ben, maar wat ik ervan ken natuurlijk. Er
staan bijna een miljoen fietsen bij het station. Het gele

gebouw, mijn nieuwe school, staat op één minuut lopen vanaf het station. Luid klingelend dendert er een tram voorbij.

Als we het gebouw binnenlopen, moeten we door een soort poortje naar binnen.

'Normaal gesproken moet je met een pasje naar binnen,' legt de portier uit als hij mij verbaasd ziet kijken. 'Komen jullie voor de open dag?'

Ik knik.

'Vijfde verdieping.' Hij wijst naar de roltrap die ons door het open gedeelte van het gebouw helemaal naar boven rolt.

Een portier in een school en pasjes en een poort en een roltrap in een wolkenkrabberbos. In Rotterdam.

'Zo, nu eerst maar eens een bakje koffie,' zegt mijn vader als we in de kantine aankomen.

Hij haalt voor mij een kopje thee. We gaan aan een tafel bij het raam zitten. Ergens uit het gebouw hoor ik een piano, ergens anders vandaan klinkt jazzmuziek. We kijken naar buiten.

'Wat een uitzicht!' Ik blaas over mijn thee. In de verte zie ik de Euromast en tientallen kranen.

'Da's de haven, denk ik,' zegt mijn vader.

Je kunt echt ver kijken!

Ondertussen begint het aardig vol te lopen met allerlei mensen. Kinderen, brugpiepers, en ook studenten die al een stuk ouder zijn. Ik zie een jongetje lopen met een contrabaskoffer die groter is dan hijzelf. Een leraar met warrig haar rent door de gangen terwijl hij aan het bellen is. Ik zie mensen lopen van wie ik me afvraag of het nu studenten zijn of docenten. Een jongen met een hanenkamachtig kapsel speelt in de kantine op zijn djembé.

Ik zie mezelf hier al helemaal rondlopen. Sterker nog: ik kan me niet voorstellen dat ik hier straks níet rondloop.

Mijn vader en ik halen bij een informatiekraam allemaal folders en boekjes en we zoeken van het programma een paar optredens uit die ons leuk lijken. De eerste is van leerlingen van de havo. Daar kom ik dus bij op school. Als. Als ik tenminste overga en toegelaten word. Als, als... Nou ja, niet aan denken.

We zoeken het lokaal waar het eerste optreden is dat we willen zien. Aan het prikbord in de gang hangen allemaal briefjes, veel in het Engels, van studenten die een kamer zoeken of een sax te koop aanbieden (wie doet dat nou??), en een aankondiging van een gastles van een heel bekende jazztrompetist. Een briefje met 'wie heeft mijn metronoom gezien' is geschreven op een stuk afgescheurd muziekpapier.

Daar is lokaal vijf-tweeëntwintig. We gaan zitten.

Het duurt even voor de band begint. Eerst zijn ze eindeloos aan het stemmen en dingen met snoeren aan het doen, maar dan tetteren ze onze haren meteen in de war.

Wauw, wat klinkt dat goed! Die lui spelen echt geweldig en die saxofonist is extreem goed. En hij ziet er ook nog eens heel leuk uit. Terwijl hij speelt, kijkt hij me een paar keer aan en ik zou wel willen schreeuwen: ik speel óók sax. Ik zou zo graag mee willen doen. Ze spelen een paar stukken die ik ken. Niet te geloven dat ik hier over een half jaar tussen zou kunnen staan. Mijn vader slaat met het programma op zijn knie.

'Wat vond je ervan?' vraag ik als we de zaal uit lopen.

'Erg goed. Lieverd, ik krijg hier een prima gevoel over.'

Doordat mijn vader het zegt, durf ik het zelf ook hardop te denken: 'Ik wil naar deze school. Ik weet het zeker, zeker, zeker.'

De school zelf ziet er verder vanbinnen normaal uit, als een gewone school, met lokalen, een schoolbord en een lokaal vol computers. Gek genoeg had ik verwacht dat alles anders zou zijn.

En er zijn zalen, die Theaterzaal heten, of Muziekzaal. Daar zijn de optredens. En lokalen die vol staan met drumstellen of andere muziekinstrumenten.

Op de zesde verdieping, waar de gewone lessen gegeven worden, staan een paar leraren aan wie je alles mag vragen. Eentje ziet er heel aardig uit en dat is hij ook. Hij heeft een Rotterdams accent en hij vertelt dat hij aardrijkskunde geeft. 'Maar je mag me álles vragen, hoor,' lacht hij.

'Dat komt goed uit,' zegt mijn vader en hij schraapt zijn keel.

Hij vraagt van alles over hoeveel vakken, hoeveel uur en welke kosten er bijkomen en zo, en hij wil van alles weten over de muzieklessen en hoe het zit met het toelatingsexamen. Aan de ene kant vind ik het stom dat hij zo veel vraagt, maar aan de andere kant ben ik er blij mee, want zelf zou ik nooit zo veel durven vragen. En ik wil wel alles weten.

Na een paar uur en nog een paar optredens piepen onze oren er helemaal van.

'Weet je genoeg?' Pap kijkt op z'n horloge.

Ik knik. Ik kan niet eens meer praten. Ben helemaal gaar.

'Kom, we gaan naar huis.'

We lopen naar het station met een vol hoofd en een tas vol folders en informatie. En een aanmeldingsformulier voor het toelatingsexamen.

Als ze hadden gevraagd of ik meteen zou willen blijven, had ik direct ja gezegd.

14.

Het is woensdagavond. Normaal gesproken repeteren we dan met de band, maar Emma had zo erg geen zin en Jamie had zó'n vage smoes dat we deze week overslaan. Vorige week ook al trouwens.

Er ligt nog wat muziek van me in de koelcel en ook mijn reserverietjes liggen er nog, daarom fiets ik er toch even naar toe.

Kan ik ook nog even voluit spelen, beter dan in die theemuts.

Ik sta net een kleine twintig minuten te toeteren als de deur opengaat.

Na wat gestommel om de deur verschijnt een gitaarkoffer.
Thomas.

'Dag, dame.' Hij zet z'n koffer op de tafel. 'Ik zag je fiets al
staan. Kun jij het ook niet laten op woensdagavond?'

Ik grijns.

Thomas haalt zijn gitaar uit zijn koffer en begint hem te stemmen. Hij kijkt niet naar me, is druk bezig met het draaien aan
de stemknoppen. Daarom kan ik even goed naar zijn gezicht
kijken. Het staat niet vrolijk. Ik vrees het ergste.

'En?' vraag ik. 'Ben je aangenomen?'

'Mm.' Hij draait secondelang aan een stemknop. 'Nee. Niet
goed genoeg.'

'Niet??' Dat verbaast me echt.

'Helaas.' Hij hangt z'n gitaar om z'n nek. 'Ik hoop dat jij straks
meer geluk hebt.'

'Wat rot.' En dat meen ik echt. 'Hoe kan dat nou? Je bent
hartstikke goed.'

Hij kijkt me aan. 'Ze vonden me te veel vastzitten in mijn stijl.
Ik kan niet meer zo veel leren, denken ze. Ik zit al op mijn
hoogste niveau. Beter dan dit wordt het niet.' Hij grijnst een
beetje onbeholpen.

Opeens zie ik het helemaal niet meer zitten. Als Thomas niet
goed genoeg is, dan ben ik het natuurlijk helemaal niet!

Thomas kijkt sip. Ik wrijf over zijn arm.

'Het komt wel goed.' Ik weet ook niet waarom ik dat zeg.

'Dank je wel.' Hij lacht. Met zijn voet probeert hij een snoer
van de grond te rapen. Het lukt bijna. Op het laatste moment
valt het snoer toch nog op de grond. We lachen. Dan verandert de manier waarop hij naar me kijkt. Weer die blik! Het
lukt me bijna niet om een andere kant op te kijken.

'Wat is er?' Ik wil blijven kijken, maar tegelijk vind ik dat heel
eng.

'Niks. Laat maar.' Hij slaat z'n muziekmap open. 'Hoe was de
open dag?'

'Helemaal goed.' Ik vertel alles.

'En wat zei je moeder? Ziet ze het al een beetje zitten?'
'Toen we terugkwamen, wou ze er alles over weten. Ze vroeg zelfs dingen die ik me nog niet afgevraagd had. Ze las het informatieboekje van voor tot achter en ik zag ook dat ze informatie op internet had opgezocht.'
'Da's mooi. En wanneer heb jij toelatingsexamen?'
'In april.'
Thomas slaat een akkoord aan. En ik speel mee. We improviseren er een eind op los. Niet een erg gebruikelijke combinatie, alleen gitaar en sax. Maar wij kunnen het. En hoe!
'Misschien moeten we een duo beginnen,' zegt Thomas als hij zijn gitaar weer in z'n koffer stopt. 'Kom ik misschien toch nog aan de bak.' Hij kijkt expres heel treurig. 'En nu ga ik naar huis.'
'Ik ook,' zeg ik. Ik pak mijn muziek en we sluiten de deur af.
Als ik mijn fiets van het slot haal, staat Thomas opeens naast me. Hij komt dichterbij, buigt onhandig zijn gezicht naar me toe. Ik kom overeind, hij komt nog dichterbij en we botsen bijna en dan kust hij me, half op m'n neus.
'Dat,' zegt hij, 'was ik nou al een hele tijd van plan. Je bent lief.'
Hij springt op zijn fiets en rijdt weg.
Ik blijf in grote verbazing achter.

15.

Op de een of andere manier is er sinds het bezoek aan de open dag veel veranderd. In mijn hoofd, bedoel ik. De knop is definitief om. Ik weet zo ontzettend zeker dat ik dit wil, dat ik dat saaie en stomme huiswerk gewoon doe. Als ik maar even geen zin heb, denk ik aan Rotterdam, aan die school, aan alle muziek die daar was en dan pak ik vanzelf mijn boeken.
Maar laat ik eerlijk zijn: als ik alle ramen van onze school elke

dag van boven naar beneden moest lappen om naar Rotterdam te mogen, had ik het ook gedaan. Of als ik het hele plein had moeten schrobben met een tandenborstel. Maakt mij niet uit. Nu is het toevallig allerlei woordjes uit mijn hoofd leren en werkstukken bakken, nou, dan doe ik dat toch? Ik zit, echt en eerlijk waar, meer achter mijn boeken dan achter de sax. Gelukkig zet mijn harde werken zoden aan de dijk. Het houdt niet over, maar zo langzaam maar zeker veranderen de vijven in zessen en her en der prijkt er zelfs een zeven op mijn cijferlijst. Nog een paar proefwerken en dan is het zomervakantie en zijn de kansen op. Heel langzaam krijg ik er een beetje vertrouwen in, hoewel het spannend blijft.

En er moet natuurlijk af en toe wel gerelaxt worden.
'Ga je mee de stad in?' vraag ik na de laatste les op vrijdag aan Tika.
Maar Tika is niet zo gezellig vandaag. Ze kijkt de hele tijd naar beneden en het lijkt wel of ze een hele zware tas draagt, terwijl we maar twee boeken mee hoefden te nemen vandaag.
'Gaan jullie nog op vakantie?' vraag ik, om maar iets te vragen.
'Pff, kweenie.' Tika haalt een hand door haar haar. 'Mijn pa ligt weer eens dwars. Nou wil hij de hele vakantie blijven werken, thuis met een laptop. Of in de caravan. Mijn moeder kwaad. En dat snap ik ook. En weet je, ik begrijp mijn vader ook. Mijn moeder kan zo chagrijnig tegen hem doen, dat zou ik ook geen weken volhouden. Van de week zei mijn vader...'
Ik merk dat ik mijn gedachten er niet zo bij kan houden. Terwijl ik luister en knik naar Tika, probeer ik de stroom gedachten eronder in bedwang te houden: als ik maar overga, als ik maar overga. Als ik niet overga, wat dan? Vorig jaar bleef een jongen ook twee keer zitten en mocht toch blijven. Maar ja, die was ziek geweest.
'Luister je eigenlijk wel?' Tika loopt opeens een stuk langzamer.

Alsof ik een cd op *rewind* zet, probeer ik me te herinneren wat ze als laatste zei.

'Dat ze je een hele maand op een zeilkamp willen doen,' zeg ik.

'Ja.'

'Wat leuk.'

Fout.

'Helemaal niet leuk. Ze dumpen me gewoon. Ik wil best op een kamp, maar ik wil zelf kiezen en zeker geen maand weg. En al helemaal niet om het mijn ouders makkelijk te maken. Dan ben ik liever een maand alleen thuis.'

'Sorry.'

'Je bent niet de enige met stress, hoor.'

Ze heeft gelijk. Maar ik kan het niet loslaten. Wat als, wat als.

Zwijgend lopen we langs de winkels. Ik probeer iets te bedenken om het weer een beetje goed te maken. Maar ik weet niks. Gelukkig zie ik Tika's mondhoeken weer wat omhoog trekken als we een paar kledingrekken bestudeerd hebben.

'Zullen we even naar die leuke kledingzaak gaan?'

'Hè, nee, moet dat?'

Tika kijkt verbaasd. 'Hoezo? Zelfs jij vindt dat ze daar leuke kleren hebben.'

'Ja, da's waar.'

Maar dan moeten we langs de winkel waar Thomas werkt, denk ik erachteraan. Misschien ziet hij ons niet. Thomas heeft nog niets gezegd over die kus. Ik denk dat het een opwelling was. Of dat hij er spijt van heeft. Ik begin er zelf natuurlijk ook niet over.

We lopen verder over de winkelstraat.

De muziek komt ons bij de hoek al tegemoet, de deur staat open. Als we nu vlug doorlopen, dan kunnen we ongezien...

'Dag, dames!' Thomas is bezig een kartonnen reclamebord op te hangen.

'O, hoi.' Ik duw Tika verder. 'We wilden net naar dat kledingzaakje,' brom ik.

'Dat wou jij helemaal niet.' Tika blijft met beide voeten stevig op de grond staan.

'Nu wel.'

'We hebben alle tijd,' zegt Tika en ze doet een stap richting de winkel van Thomas. 'Kom, even kijken of hier wat is voor m'n pa.' Ze loopt naar binnen en ik kan natuurlijk moeilijk buiten blijven staan wachten.

Plichtmatig klap ik wat cd'tjes om in een paar bakken. Ik zie helemaal niet van wie ze zijn. Thomas is heel druk met het roeren van zijn koffie. En daarna moet hij kennelijk hoognodig een plant water geven ergens achter in de zaak.

'Ken je dit?' Tika houdt een cd van Jamy Cullum voor m'n neus.

'Ja, dat is leuk. Voor jezelf?'

'Nee, voor m'n pa; hij is bijna jarig.'

'Moet je dit zeker doen.' Ik denk aan de cd's die ik bij Tika thuis heb gezien, daar past deze prima tussen.

'Mooi, dan ben ik daar ook weer klaar mee. Zit er niks voor jou bij? Daar, die hele bak, alles voor maar vijf euro!'

Ik schud m'n hoofd. 'Nee.'

Terwijl Tika in de bak neust of er niet nog iets leukers bij zit, kijk ik bij de boeken en de spelletjes. 'Zullen we gaan?' vraag ik na een tijdje.

Thomas rekent met Tika af terwijl ik op de deurmat wacht. Als Thomas mijn richting op kijkt, kruisen onze blikken elkaar heel even.

'Sjonge, wat was er aan de hand?' vraagt Tika als we weer buiten lopen. 'Hebben jullie soms ruzie gehad of zo?'

'Nee, hoezo?'

'Ik heb je nog nooit zo koel tegen hem zien doen.'

'Geen idee.' Ik knoop mijn sjaal wat steviger om m'n nek.

'Wil je nog naar dat kledingzaakje?' Tika kijkt op haar horloge.

'Dat kunnen we straks wel doen,' zeg ik. 'Zullen we hier een cola drinken?' en ik gebaar richting The Roof.

'Prima plan.'

We laten eerst het regenwater van de stoelen lopen en gaan dan zitten. Het is net wat te koud, maar dat maakt ons niets uit. Tika kijkt op haar mobiel, de ober staat binnen te kletsen. Over het plein loopt een man met een paraplu. Heeft zeker nog niet door dat het niet meer regent.

'Hij heeft me gekust.'

Het duurt even voor Tika me aankijkt en voor ze begrijpt wat ik bedoel.

'Hè? Echt? En jij zei dat jullie niks hadden.'

'Dat hebben we ook niet.' Ik moet lachen om de verbaasde blik van Tika. 'Het was maar één keer. Al drie weken geleden. En niet eens echt gezoend. Ik bedoel: ik kreeg een kus van hem zonder dat ik doorhad wat hij wou gaan doen.'

'Waarom heb je dat niet eerder verteld?!'

'Kweenie.' Tika verwijt me wel vaker dat ik dingen pas vertel als ik er zelf al veel te lang over nagedacht heb.

'Zie je nou wel!' roept ze. 'Ha! Ben je ook verliefd op hem?'

'Ook? Ik weet helemaal niet of hij verliefd op mij is.'

'Hij geeft je een kus. Hallo! Wake up!'

Ik grijns. 'Maar daarna heeft hij er niks meer over gezegd. We hebben al weer gerepeteerd. Da's toch raar?'

'Hij wacht natuurlijk op jou. Tot jij iets zegt of schrijft of mailt of wat dan ook. Wauw, wat romantisch. Twee muzikanten in love... Misschien schrijft hij wel liefdesliedjes voor je.'

'Pff, ik merk er anders niets van. Dat ie verliefd zou zijn.'

'Snap je dat nou niet? Stel, hij is hartstikke verliefd op je. Misschien smacht hij al maanden naar je. Eindelijk, eindelijk durft hij je een kus te geven. En dan? Jij zegt niks, doet niks, reageert niet. Hij denkt natuurlijk dat je hem stom vindt. Hij is ook maar een mens.'

Zou dat het zijn? Zou Thomas echt op een soort reactie van mij zitten wachten? Ik had het eerder aan Tika moeten vertellen. Ze heeft meer verstand van dat soort dingen dan ik.

'Maar wat vind je nou van hém?'

'Ik weet het niet,' zeg ik. 'Ik weet niet of ik verliefd op hem ben. Wanneer weet je eigenlijk of je verliefd bent?'

'Tja, hoe weet je dat? Als je hoopt dat hij er ook is. Als je hart sneller gaat kloppen als je hem ziet. Als je oog meteen op zijn naam valt, ook al is het iemand anders die zo heet. Als je 's nachts over hem droomt en overdag hoopt dat het uitkomt. Als je uit je dak gaat als hij naar je lacht of naast je komt zitten. En als je zowat flauwvalt als hij je per ongeluk aanraakt. Als al je dromen over later met hem zijn.'

Tika kan het zo mooi zeggen. Maar als ik verliefd zou zijn, dan zou ik het toch wel weten? Dan zou ik niet twijfelen. Thomas zit niet de hele tijd in mijn hoofd. Ik vind hem leuk, ik vind het geweldig zoals hij speelt, en eerlijk gezegd ben ik enorm vereerd dat iemand zoals hij mij leuk vindt. Echt leuk dus. Maar wat moet ik? Wat wil ik?

Er zijn van die momenten dat je één seconde in de toekomst zou willen kijken. Even, heel even, om te zien hoe alles verder gaat. Ben ik over? Zit ik volgend jaar op de HVMD? En loop ik hand in hand met Thomas door Rotterdam? Of ga ik naar een andere school en moet ik iets leren wat me niet boeit en zie ik Thomas nooit meer? Ik bedoel: het zou allemaal kunnen.

Tika praat uitgebreid over verkeringen, die van Bo en Jasper, die weer aan is, die van Sarah met een onbekende jongen van een andere school en over Thijs die de laatste tijd een paar keer gezien is met een blond meisje.

16.

Nu is de koelcel ook al geen plek meer waar ik rustig mezelf kan zijn, want De Blikken van Thomas maken me erg onrustig en steeds hoop ik maar dat mijn haar niet te slap hangt, mijn neus niet glimt en dat ik niet te boos kijk als ik speel. Daar had ik allemaal nooit last van.

Wat één zo'n kus niet kan doen! Het weggaan na afloop van de repetitie lijkt wel een Chinese puzzel geworden. Als ik eerder wegga dan hij, denkt hij misschien dat ik hem niet wil zien. Wat niet zo is. Maar als ik wacht tot hij weggaat, dan denkt hij misschien dat ik hem juist wel wil zien, wat ook niet per se zo is. Denk ik. Of wel? En als hij langer dan anders erover doet om zijn spullen te pakken en ik al klaar ben, moet ik dan vast weggaan? Of wachten? En moet ik dan binnen wachten of buiten? En moet ik echt staan wachten of juist net doen alsof ik nog van alles in moet pakken? En als hij nu heel duidelijk was, dan kon ik er wat mee. Maar de ene keer kijkt hij me wel aan als ik speel, en lacht hij heel ongemerkt naar me, maar een andere keer, als ik naar hem kijk, dan ontwijkt hij mijn blik. En soms hoop ik dat hij er al is als ik naar de koelcel fiets, maar als ik dan zijn fiets zie staan, schrik ik. Terwijl ik weet dat hij komt. En de laatste keer stond zijn fiets er nog niet en toen voelde ik opluchting maar ik vond het ook jammer. Hoe raar kan een mens zijn!

Die ene Blik in zijn ogen is verdwenen, lijkt het. Maar dat kan ook komen doordat ik er niet meer in durf te kijken. Volgens mij kijkt hij ook niet meer naar mij. En het gekke is: dat vind ik fijn en stom tegelijk.

Als ik voor de vierde keer na de repetitie naar huis fiets zonder dat Thomas erop teruggekomen is, zonder dat hij mij een sms heeft gestuurd en zonder dat hij overduidelijk op me gewacht heeft na afloop, ga ik ervan uit dat het een eenmalige actie betrof en waarschijnlijk zelfs een vergissing.

17.

Ik zit op de stoep voor het conservatorium in Rotterdam te wachten op de uitslag van mijn toelatingsexamen. Ik heb het afgelopen uur gespeeld, gezongen, geklapt, dingen nagespeeld en een paar verplichte nummers gespeeld. De docenten van de toelatingscommissie vertrokken geen spier. Ik kon niets van hun gezichten aflezen. De zenuwen zijn voorbij, ik kan er nu niks meer aan doen. Voor mijn gevoel ging het goed. Alleen de theorievragen wist ik niet allemaal.

De zon schijnt, het is half april. Ik gaap. Hoe goed kun je spelen als je twee nachten bijna niet geslapen hebt? Mijn vader staat een eind verderop naar een affiche te kijken. Grappig, als mijn vader zo ver weg staat, lijkt hij meer op een jongen dan op een man. Mijn vader heeft weer een dag vrij genomen en is met mij meegegaan. Hij heeft de hele tijd in de kantine koffie zitten drinken en een krantje gelezen.

Over een kwartier moeten we weer naar binnen en dan horen we de uitslag. Mijn toekomst duurt op dit moment vijftien minuten, verder durf ik niet vooruit te denken. Gek idee dat ze binnen misschien de uitslag al weten en dat ik, hier buiten, nog van niks weet terwijl het allemaal zo anders gaat worden als het een ja is.

Of als het een nee is.

Er komt geregeld een tram langs. Aan de overkant van de weg loopt een man met een kruiwagen vol sinaasappels. Wat is het druk hier! Zo veel auto's, fietsers en brommertjes! Twee mannen op skeelers sjezen voorbij.

Ik zit net helemaal weg te dromen over saxen en Rotterdam en die ene leuke saxofonist als een jongen me aantikt: 'Ben jij Sanne van Lente? Ze zoeken je, boven.'

Ik schrik. Ze zoeken me? De bibbers zijn meteen terug. Zo snel al? Ik roep mijn vader. Ik zie aan zijn gezicht dat hij ook een beetje schrikt.

Zwijgend rollen we weer naar boven. Het uur van de waarheid.

'Sanne? Sanne van Lente? Kom je binnen?' Een van de docenten houdt de deur voor me open.

Ik loop lokaal zes-zeventien binnen. Mijn vader loopt er direct achteraan.

Binnen zitten de docenten die net naar me geluisterd hebben op de tafels. Ik scan meteen hun ogen, hun mond. Ze lachen niet, maar ze kijken ook niet heel serieus. Zeg het nou! Nú!

'Ga zitten,' zegt de heer Van Winsum. Hij is de coördinator van de toelatingscommissie. Hij ziet eruit als een professor, met witte krullen aan de zijkant van z'n hoofd.

Ik ga zitten, maar mijn vader blijft naast me staan. Hij pakt mijn hand en ik voel dat de zijne helemaal vochtig is. Ik trek m'n pa naast me op de stoel.

Meneer Van Winsum kijkt op zijn notitieblok en daarna naar mij. 'Sanne, we hebben goed naar je geluisterd. We vinden dat je nog veel moet leren.'

Het is alsof de grond opeens vloeibaar wordt.

Ik ben niet goed genoeg. Dat was het dan...

'Je toonvastheid en je kracht kunnen beter. En je timing is nog wat aarzelend.'

Ik wil graag even naar mijn vader kijken, maar mijn nek zit vast en ik kan alleen maar naar de mond van de heer Van Winsum kijken.

'Maar,' zegt hij en dan zie ik dat hij niet meer zo serieus kijkt, 'je komt tenslotte op deze school om te leren. Wij denken dat je het in je hebt. Wat ons betreft ben je heel hartelijk welkom op onze school.'

Ik heb het idee dat ik onderuit glijd, of dat ik juist opstijg – ik weet het niet. Ik ontplof gewoon!

'We vinden dat je veel talent hebt. Je hebt een goed gevoel voor je instrument. Je ritmegevoel is prima en je legt een mooie klank in je toon. En wat helemaal goed is, is dat je in je eigen band speelt en dat je je eigen muziek schrijft. En improviseren kun je ook. Kortom, we zijn heel blij met jou. Sanne, gefeliciteerd.'

Hij steekt zijn hand uit.

Nu pas voel ik hoe stevig mijn vader nog altijd mijn hand vasthoudt.

'Pap, loslaten,' fluister ik.

'O, sorry.' Hij glimlacht even.

Meneer Van Winsum geeft me een hand en de andere docenten ook.

'Nu nog overgaan,' zegt hij.

Ja, vertel mij wat! Maar dit neemt niemand me meer af. Ik ben aangenomen, mensen die het kunnen weten vinden écht dat ik het kan. Het was geen misplaatste arrogantie dat ik dacht dat ik het kon, en het waren geen valse complimenten die ik kreeg.

Als we buiten staan, omhelst mijn vader me heel stevig. 'Wat ben ik trots op je,' fluistert hij met een gekke stem.

We lopen zomaar een kant op.

Ik pak mijn mobiel en bel mam. 'Ik ben AANGENOMEN!'

Ik schreeuw het uit; een mevrouw op de fiets kijkt van schrik om, maar het kan me niks schelen.

'Dat is goed nieuws,' zegt mam. 'Gefeliciteerd. Geweldig voor je.'

Ik hoor dat het haar moeite kost om zo te reageren, maar juist die moeite vind ik heel lief.

Dan bel ik Tika. 'Ik ben aangenomen,' roep ik voor ze iets kan zeggen.

'ECHT?'

Ik hoor haar schreeuwen. We krijgen samen de slappe lach door de telefoon, ik hier in Rotterdam, zij daar in het hoge noorden.

Ik huil en lach tegelijk.

En dan bel ik oma.

Oma is er stil van. 'Kind,' zegt ze na een tijd, 'wat heb ik voor je zitten duimen.'

Het is misschien een beetje laf, maar ik krijg het niet over mijn hart om Thomas te bellen. Ik wil zijn reactie niet horen. En ik gun het hem om even te balen dat ik wel aangenomen ben en hij niet, zonder dat hij zich schuldig voelt. Daarom stuur ik hem een sms: *Ik ben aangenomen!*

Meteen krijg ik een bericht terug: *Ik WIST het. Gefeliciteerd!*

Thomas.' Geen X erbij. Maar hij sms't me wel meteen terug! Hij zat er zo te zien een beetje op te wachten, want ik weet dat hij in de winkel zijn mobiel altijd uit heeft staan. Vandaag dus niet.

Mijn vader slaat zijn arm om me heen. 'Zo. En nu ben je nog even lekker van mij. We gaan ergens een hapje eten.'
We nemen de tram en rijden een stuk de stad in.
Ergens in een gezellig eetcafé nemen we een broodje en soep. Ik vind het brood raar en de soep smaakt naar citroen en knoflook tegelijk, en hoewel ik even moet wennen, vind ik het uiteindelijk best te eten. Mijn vader en ik hebben een goed gesprek. Hij vertelt over vroeger, dat hij drie studies verprutst heeft door er geen bal aan te doen en dat hij daarna moest werken en nog altijd spijt heeft dat hij toen niet doorgezet heeft en een opleiding heeft afgemaakt. Uiteindelijk is hij leraar geworden, maar die studie kostte hem heel veel moeite omdat Hugo en ik er toen al waren.
'En we hadden onze handen aardig vol aan jullie,' lacht hij.
'Wat had je het liefste willen doen dan?' Ik doop het brood in de soep.
Het duurt even voor hij antwoord geeft; hij kijkt naar een grote motor die langs komt denderen.
'Heel diep in m'n hart had ik naar de kunstacademie gewild.'
Direct daarna neemt hij een grote hap van z'n brood.
Het bijzondere is dat ik heel goed in de gaten heb dat hij dit niet vertelt om me te waarschuwen of om weer eens opvoedkundig bezig te zijn, maar omdat hij volgens mij echt spijt heeft. Hij praat met mij alsof ik volwassen ben, daar in dat eetcafé in de binnenstad van Rotterdam. We praten over de toekomst, dat je nooit weet wat er gaat gebeuren, dat achteraf praten heel makkelijk is en hoe je er nou achter komt wat je wilt en kunt. En ook over hoe belangrijk en fijn het is om werk te doen waar je je hart en ziel in kwijt kunt. Als nagerecht nemen we allebei een grote kom chocoladeijs met vruchten.

Na afloop wandelen we naar het station; het wordt al donker en ik krijg gek genoeg een beetje een kerstgevoel. In april.

18.

Vandaag krijgen we wiskunde terug. En dat is niet bepaald mijn beste vak. Ik heb er echt flink op zitten leren en zelfs een aflevering van Friends overgeslagen. Over een week krijgen we ons rapport. Alle proefwerken zijn achter de rug, alle werkstukken ingeleverd. Ik kan niks meer doen. Dit was mijn laatste proefwerk. We hebben geen lessen meer. Ik moet een zes komma twee halen om voor wiskunde een voldoende op mijn rapport te krijgen.
Baf!
Kernramp legt het proefwerkblaadje op mijn tafel. Ik durf niet meteen te kijken. Daar staat het, in het rood, bovenaan.
Een drie.
De tranen schieten me meteen in mijn ogen. Een drie? En ik had echt zo goed geleerd! Dat wordt een vijf op mijn rapport.
Mijn enige hoop is nu gevestigd op de werkstukken waar ik nog geen cijfer voor heb gekregen. Maar daar kan ik niets meer aan veranderen, want die heb ik al een week geleden ingeleverd.

Ik hou het niet uit. 's Middags ga ik naar Van Driel. Officieel moet ik nog een paar dagen wachten voor ik het cijfer voor m'n maatschappijleerwerkstuk krijg, maar dat red ik nooit! Ik doe geen oog dicht en krijg geen hap door m'n keel als ik niet weet of ik overga of niet. Ik loop door de stille school naar de lerarenkamer. Ik weet toevallig dat er net een vergadering is geweest. En gelukkig, daar zit mevrouw Van Driel, met de waarheid in haar tas.
Ik klop zachtjes op de deur.

'Sanne.' Mevrouw Van Driel kijkt op van haar tijdschrift. 'Wat kan ik voor je doen?'

'Sorry, mevrouw Van Driel, dat ik stoor, maar heeft u de werkstukken al nagekeken?'

'Jouw werkstuk? Laat eens kijken.' Van Driel bladert in haar agenda. 'Ik dacht dat die van jou... Ik heb het toch opgeschreven? Wacht.'

Mijn hart klopt sneller dan ooit. Van wat ze nu zegt, hangt alles af. Alles.

'Je hebt een...'

Ze pakt haar leesbril uit een doosje en zet hem op.

Ik vlieg nog net niet tegen het plafond.

'Sjonge, ik kan mijn eigen handschrift niet lezen, zeg.'

Ze loopt met haar vinger de cijferlijst langs.

'Wat staat hier, mmm. Ja, hier heb ik het.'

Ze kijkt me over haar leesbril aan. Ik voel me een op z'n allerstrakst opgeblazen ballon. Er hoeft maar iets te gebeuren en ik knal uit elkaar.

'Een acht.'

'Een acht?'

'Een acht. Goed geschreven, hoor.'

'O, oké, bedankt,' breng ik uit. De ballon loopt in één keer leeg.

'Wat is er? Niet goed?'

'Nee, prima.'

Als ik terugloop, verlies ik per stap honderd kilo. Een acht. Een ACHT! Dat ene stomme woordje lost al mijn zorgen op.

Ik loop de school uit en ga op de trap voor de ingang zitten. De warme zon schijnt op mijn gezicht en dwars door m'n kleren heen in m'n lijf. Daar begint iets te bruisen en te borrelen. Het is zover. Mijn laatste jaar, mijn laatste dag en mijn laatste lesuur op deze school. Allemaal geweest.

Voor het eerst durf ik de gedachte aan m'n nieuwe leven helemaal in m'n hersens toe te laten. Maar tot mijn verbazing blijft m'n hoofd een stuk leger dan ik had gedacht. Ik hoor alleen een paar brugpiepers basketballen op het plein en ik zie het oude autootje van mevrouw Van Driel glimmen in de zon en twee jongens uit m'n klas komen met een ijsje voorbij lopen. De conciërge loopt met een fietspomp naar de fietsenkelder en een meisje uit de vierde veegt het plein. De lucht is blauw, een enkel vriendelijk wolkje drijft voorbij. Bijna zomer.

Ik blijf nog een hele tijd zo zitten, zonder gedachten. Dan bel ik Tika.

'Ik hoorde net van Van Driel dat ik een acht heb. Voor dat werkstuk. Dat betekent dat ik een zes voor geschiedenis op mijn rapport krijg. Waardoor ik nog maar één onvoldoende op mijn rapport krijg. Voor wiskunde. Zodat ik overga. En ik dus naar Rotterdam ga.'

Tika krijst zo hard uit de telefoon dat de conciërge, die net weer het plein op loopt, lachend naar me kijkt.

Daarna bel ik mijn moeder, die vandaag vrij is.

Het gekke is dat ik tegen haar een stuk minder blij kan doen. Omdat het niet alleen overgaan is, maar ook afscheid nemen. En ik weet dat mijn moeder dat best moeilijk vindt. En niet alleen zij.

Ik ben pas echt, echt, echt overtuigd als ik een week later mijn rapport ophaal en het zwart-op-wit zie staan: over naar de vierde. Dat betekent: ik ga nu echt, écht naar Rotterdam.

We moeten in een stikheet lokaal zitten en we krijgen natuurlijk eerst nog een preek. Van Beekhuijzen, onze mentrix, vindt het leuk om bij iedereen nog even wat te zeuren.

'Het was op het randje,' zegt ze tegen mij. 'Als je nou het hele jaar zo geleerd had als de laatste tijd, dan had je je nergens zorgen om hoeven maken. Desalniettemin' (die vrouw is volgens mij in de middeleeuwen geboren, die woorden die ze gebruikt!) 'wens ik je erg veel succes op je nieuwe opleiding. Ik hoop dat je je ei er kwijt kunt en je hart kunt ophalen.'

Dat is toch wel aardig. Mmm. Het dringt nu wel tot me door. Nooit meer Van Beekhuijzen, nooit meer Kernramp met zijn gestress. Nooit meer met Tika in de klas. Nooit meer fietsen naar het Noordzijcollege.

Gelukkig is er nog het afscheidsfeest, volgende week. Ik ben niet de enige die naar een andere school gaat. Bovendien is er bij ons op school in de bovenbouw het studiehuis. Al was ik hier gebleven, dan was het allemaal toch wel anders geworden.

19.

'Wil je die kast eens opendoen?' M'n oma wijst naar de kast op haar slaapkamer. 'Er staat een doosje.'

Ik pak een houten doosje met een goudkleurig slotje uit de kast.

'Dat is voor jou.'

Ik veeg het stof eraf en doe het deksel open. Er ligt een koperkleurige ketting met een hartje eraan. Ik hou niet van hartjes, maar dit is een mooie. Het is een blauwe geslepen steen in koper gelegd en je kunt zien dat ie heel oud is.

Oma pakt het kettinkje voorzichtig uit het doosje. 'Ik heb het gekregen van mijn moeder, en zij kreeg het bij haar diplomauitreiking van haar ouders. Als een van de weinige vrouwen in haar tijd ging ze studeren. Dat heeft haar heel wat doorzettingsvermogen gekost.'

'Het is prachtig.' Ik neem de ketting in m'n hand.

'Mijn moeder zei, toen ze het mij gaf, dat ik mijn hart moest volgen.' Oma zwijgt en ik zie aan haar ogen dat ze in het verleden blikt.

'Kom es.'

Ik ga naast haar op het bed zitten.

Oma legt de ketting om mijn hals. Haar vingers kriebelen in mijn nek, ik krijg er kippenvel van.

Ze krijgt hem niet dicht, het is te priegelig. Ik doe het zelf.

'Als u hem van uw moeder hebt gekregen, dan moet ie heel oud zijn.'

'Ik denk dat ie wel honderd jaar oud is.'

Het duurt even voor de steen mijn lichaamstemperatuur aangenomen heeft. Wat stoer dat mijn overgrootmoeder gestudeerd heeft in een tijd dat dat voor vrouwen helemaal nog niet gewoon was.

'Wat studeerde uw moeder dan?'

'Rechten. En daarna ging ze werken. Maar ze kreeg zeven kinderen en dat was niet te combineren. Ze heeft het altijd ontzettend jammer gevonden dat ze haar talent niet kon gebruiken. Want toen de laatste het huis uit was, wou geen bedrijf haar meer hebben. Maar toen zat ze niet bij de pakken neer. Ze heeft zich enorm ingezet voor mensen zonder geld of zonder scholing, die juridische bijstand nodig hadden.'

'Echt? Dat wist ik helemaal niet.'

Ik denk aan de foto die in de kamer aan de muur hangt. Een vrouw met opgestoken haar en pretogen. Wat vreemd dat ik nooit gevraagd heb wat voor vrouw zij was.

'Jij hebt dat doorzettingsvermogen ook. Ik zie het in je ogen als je over muziek praat.'

Ik kijk in de spiegel. Het blauw van de steen staat mooi bij mijn ogen, die dezelfde kleur hebben.

'Je moest je haar eens los dragen.' Ze haalt mijn knip eruit en laat mijn haar waaieren langs mijn gezicht.

'Oma, had u vroeger nooit dat mensen het maar nutteloos vonden, muziek maken? Dat ze zeiden dat je beter in de verzorging kon of zo?'

'Tuurlijk wel.'

We kijken elkaar aan in de spiegel.

'Mensen die dat zeggen, hebben ook gelijk. Op een bepaalde manier. Je moet natuurlijk eerst een dak boven je hoofd hebben. En genoeg eten in huis en geen pijn hebben of ziek zijn. Maar zelfs als je dat niet hebt, dan nog is muziek belangrijk. Het is geen luxe. Juist in oorlog, of als je ziek bent of verdriet hebt, kan muziek veel betekenen. Ken jij iemand die niet van muziek houdt?'

'Nee.'

'Baby's en zelfs ongeboren kinderen reageren al op muziek. Het is een manier van communiceren die dieper gaat dan praten. Mensen raken soms zelfs uit hun coma door muziek. Muziek raakt iets, heel diep vanbinnen. En dat is op een andere manier minstens zo belangrijk als elke dag een schone bips.'

Ik kam mijn haar zodat het steil naar beneden valt en glimt.

'Mam vertelde dat ik vroeger, toen ik nog maar een half jaar oud was of zo, helemaal stil lag te luisteren als ze bepaalde muziek opzette.'

'Verbaast me niets.'

'Toch eens vragen welke muziek dat geweest was. Sonny Rollins misschien. O nee, dat kenden mijn ouders toen vast niet.'

We schieten in de lach.

'Er is zelfs een filosoof geweest,' gaat oma verder, 'die heeft gezegd dat muziek de enige manier is om jezelf te vergeten en helemaal op te gaan in het hier en nu. In het grote geheel. Geen andere vorm van kunst krijgt dat voor elkaar.' Ondertussen steekt mijn oma mijn haar op en het zit mooier dan ooit.

'Daarom is het zo fijn om naar muziek te luisteren als je verdrietig bent.' Ik weet gewoon dat oma gelijk heeft.

'Ja, inderdaad.' Oma legt haar handen op haar schoot. Ze worden te pijnlijk, ik zie het aan haar gezicht. 'Mensen zijn tenslotte allemaal ongeveer hetzelfde. De ene is slimmer dan de andere. De ene heeft capaciteiten en talenten die een ander niet heeft. Maar innerlijk zijn we met hetzelfde bezig. Iedereen heeft twijfels, angsten, vreugde, verdriet. Dáár gaat muziek over. Je bent niet alleen. Als ik muziek luister, dan voel ik: niets kan dichterbij komen. Geen mens. Er zit geen filter tussen mij en muziek. Het gaat over een wereld waar alles helemaal goed is en waar we allemaal een klein stukje van in ons dragen. Muziek laat je een stukje van die wereld ervaren. Dat doet muziek. Muziek is de blikopener van de ziel.'

20.

Ik sta op mijn kamer voor het raam na te denken. Ik ben alleen thuis en zo nu en dan vind ik dat heerlijk. Even helemaal niks, helemaal opgaan in jezelf en nergens rekening mee houden. Wat slenteren door het huis, zoals de koeien traag door het gras grazen.

Ik denk na over alles wat er de komende tijd gaat veranderen. Wonen in een stad, zo ver weg. Zal ik stoppen met saxles en hoe moet dat met de band? Kan ik daar nog mee doorgaan? Redt Tika het zonder mij in de klas? Red ik het zonder Tika?

Er landt een grutto op het hek om het weiland. Het lijkt wel of hij naar me kijkt. Hij houdt z'n kopje even een beetje schuin en fladdert dan weer weg.

Stel je voor dat het allemaal veel te moeilijk is. Of dat ik in een rotklas terechtkom. Of dat ik stik van de heimwee. En dan dat gastgezin. Daar ben ik opeens heel benieuwd naar. Ik ben er ook een beetje nerveus voor. Als het goed is, krijgen we binnenkort te horen wie dat zijn. Straks zijn het hele stomme mensen bij wie je héél netjes moet eten of die nooit lekker lachen. Of straks zijn ze zo saai als een politiek programma. Ik heb bijna zin om het bad weer eens vol te laten lopen om mijn hoofd weer eens schoon te spoelen, als de bel gaat.

Het is Thomas.

'Hai,' zegt hij. 'Ik hoorde dat je over bent. En dat je dus naar Rotterdam gaat. Gefeliciteerd.' Hij geeft me een plantje met roze bloemetjes.

'Wat lief, dank je.'

Wat moet hij nou hier? denk ik intussen. Hoe zie ik eruit?

Moet ik hem nu binnen vragen? Moet ik hem zoenen voor dat plantje?

Hij zegt niks. Ik ook niet. Aaargh! Wat is dit stom, zeg. Hij komt helemaal speciaal naar ons huis gefietst, ik kan hem toch niet meteen weer wegsturen?

'Kom binnen.'

Ik doe de deur verder open en hij loopt naar binnen. Wat ontzettend vreemd om iemand als Thomas opeens in ons huis te zien. Het is net of hij uitgeknipt is uit een foto en op een andere is geplakt. Ik zie het, maar het klopt niet. Hij blijft in de keuken staan. Ik blijf ook maar staan en zo staan we daar te staan en elkaars blik te ontwijken.

'Ik zal je erg missen.' Thomas doet een stap naar voren. 'Ik vind je lief.' Hij pakt mijn hand. Het zweet breekt me uit. Ik weet niet waarom. Wil ik dit niet? Of wil ik dit juist wel?

'En mooi. Je lacht heel erg lief.'

Dat vind ik leuk om te horen. Wat is dit ingewikkeld! Ik vind Thomas écht heel aardig. Maar net zo aardig als hij mij? Wat moet ik nou zeggen?

'Ik vind jou ook hartstikke lief. En je speelt enorm goed,' stotter ik.

Hij lacht naar me. Niet doen! Daar wordt het alleen maar moeilijker van!

'Maar, het is, ik weet niet, ik denk, pfff…' Ik krijg het er warm van.

'Ga je volgende week met me naar *The House*?' onderbreekt hij me.

Het is even stil.

'Ja, lijkt me leuk.' Ik zeg het zonder erbij na te denken.

Weer stil.

Hij kijkt naar de vloer en het is alsof hij nog wat wil zeggen, maar er komt niks. Nu mag hij mijn hand wel weer eens loslaten. Maar om 'm nu zelf los te rukken is ook weer zo cru. Hoe doen anderen dat? Ik ben zo onhandig in die dingen.

Op dat moment gaat de deur open en komt Hugo binnen. Hij

trekt zijn wenkbrauwen omhoog als hij me zo in de keuken aantreft, met in mijn ene hand een plantje met roze bloemetjes en in de andere de hand van onze gitarist.

'Hoi,' zegt hij simpelweg.

Thomas en ik zeggen niks, kijken alleen naar m'n broer. Hugo loopt naar het aanrecht en schenkt een glas sinaasappelsap in. Alleen voor zichzelf, maar zo is Hugo. Hij drinkt het glas in een keer leeg en zet het met een klap op het aanrecht.

'Wil je ook wat drinken?' Dat ik daar niet eerder aan gedacht heb! Dan kan ik Thomas loslaten zonder dat het lomp lijkt.

'Pas op m'n zus, hoor,' lacht Hugo tegen Thomas. 'Die moet je met handschoenen aanpakken. Werkhandschoenen.'

Ik doe net of ik Hugo schop en hij rent de trap op.

Dan schenk ik twee glazen jus in en gaan we buiten op het muurtje zitten.

'Fijn weertje.' Thomas pakt mijn hand weer.

'Het wordt nog mooier, hoorde ik op het journaal.'

We zwijgen weer. Steeds als ik naar hem kijk, kijkt hij net weg. En ik voel dat hij naar me kijkt als ik niet naar hem kijk.

Heb ik nu verkering?

21.

Het is heel warm op de dag van het eindfeest. Gelukkig is het buiten, op het plein.

Alle cijferzorgen zijn verdwenen. Wat een heerlijk, licht gevoel! Eerst nog zeven hele weken vakantie, met lekker helemaal niks, en dan begint mijn nieuwe leven.

Er staat een grote barbecue, maar gelukkig is er ook aan de vegetariërs onder ons gedacht. Er zijn kaasbroodjes en groentespiesjes en er is fruitbowl.

Ik sta met een volgeladen bord bij de bbq als Sarah naast me komt staan.

'Zo, muzikantje. Waarom ga je eigenlijk naar die school?' vraagt ze. 'Denk je soms dat je zo goed bent dat je later echt muzikant kunt worden?' Ze legt twee worstjes op het vuur.

'Ik ga het in elk geval proberen.' Ik draai mijn groentespiesje om.

'Pfff. Er zijn er maar weinig die dat echt kunnen, hoor. Dan moet je echt, echt heeeeeeel erg goed zijn. Volgens mij kun je beter een opleiding doen waar je wat aan hebt.'

'Heb je soms niks aan muziek?' Ik zie dat ze satésaus op haar wang heeft zitten.

'Ach, het is best leuk, voor op een feestje of zo, maar je kunt er geen levens mee redden. Je hebt er in feite geen klap aan.'

'Muziek is wél belangrijk.' Maar ik kan het niet uitleggen. Hoe zei m'n oma dat ook al weer?

'Hoezo dan?'

'Gewoon, muziek is belangrijk.'

'Poeh, overtuigend, hoor.' Sarah spuit een half bord vol mayonaise.

'En wat ga jij dan voor vreselijk belangrijks doen?'

De paprika smaakt verrukkelijk; wat voor kruiden zouden erop zitten?

Ze neemt een grote hap van een hotdog. 'Kweetnogniet,' zegt ze. 'Iets met kinderen. Of met dieren.'

'Ja, dat is natuurlijk wel eh, iets…'

'Iets nuttigs,' zegt ze. 'Inderdaad.'

'Jongens, stoelen aan de kant, er komt muziek,' roept iemand. Van Gilzen, van gym, heeft een stereogeval meegenomen en een rugzak vol cd's.

Even later staat Sarah vreselijk te dansen op *The House*.

'Dit is zó'n goed nummer,' roept ze. 'Ik ga helemaal uit m'n dak.'

Wat je nu doet, heeft zó te maken met wat ik ga doen, denk ik. Met het feit dat muziek wél belangrijk is. Maar ik vóel alleen wat ik bedoel, ik kan er geen woorden bij vinden.

Een paar jongens hebben van een barbecue een vuurkorf

gemaakt. Hele schriften van het afgelopen jaar verdwijnen erin. Bo en Jasper, van wie de verkering kennelijk weer aan is, staan met hun armen om elkaar heen naar het vuur te kijken. Ik ga ernaast staan en gooi af en toe een blok hout op het vuur.

Mensen maken al muziek vanaf dat ze bestonden. Ik heb eens in een museum stokoude fluiten gezien en half vergane, opgegraven trommels. En in het oude Egypte bestond zelfs al een soort harp; dat heb ik een keer op Discovery Channel gezien. En er staan fluiten afgebeeld op van die oude Griekse vazen. En soms zie je op tv arme mensen in andere landen; ze wonen in een hutje of zelfs dat niet, maar hoe armoedig en rot ze het ook hebben, ze maken muziek. Al is het met een tak op een emmer of stuk hout of met een zelfgesneden fluitje.

Ik gooi nog een paar stukken hout op het vuur. De vlammen krullen er meteen omheen. Wat een warmte, wat een energie zit daar in, het knettert ervan. Waar zou al die energie naar toe gaan? Zomaar oplossen in de lucht? Maar dat kan toch niet? Dan zou alle energie van de wereld op een dag op moeten zijn. Misschien is dat ook wel zo, denk ik somber. Op een dag, als wij allemaal niet meer bestaan. Dan is er ook geen muziek meer.

Sarah staat nog steeds te dansen. Muziek is niet belangrijk, zegt ze. Moet je haar zien! Ze danst of haar leven ervan afhangt.

'Hé, filosoofje,' hoor ik opeens naast me. 't Is Tika. 'Ga mee dansen! Ik wist niet dat Van Gilzen zo goed kon draaien. Kom op, even alles vergeten.'

Omdat Tika me bijna meesleurt, moet ik wel. Hoeveel ik ook van muziek hou, ik hou niet van dansen. Ik voel me stom en onhandig. Als ik muziek maak of ernaar luister, kan ik er helemaal in opgaan. Vergeet ik alles om me heen. Maar tegelijk dansen lukt me niet, vooral niet als ik het idee heb dat ik bekeken wordt.

En op de een of andere manier lukt me dat vanavond nog

slechter dan anders. Al na een half nummer ga ik weer langs de kant staan. Dit is mijn laatste klassenfeest met deze klas, op deze school. Ik denk aan een paar jaar terug, toen ik nog een brugklasser was; aan die keer dat mijn fiets omviel omdat er zo veel boeken in m'n tas zaten. Hoe blij ik was dat ik met sportdag m'n enkel verzwikt had, zodat ik de scores mocht bijhouden. Iedereen vond het sneu, maar ik was opgelucht. Gek dat ik dat nu zal missen, die sportdag. Net als de geur van sterke koffie in de lerarenkamer, de vage rioollucht bij de wc's en het gerinkel van de sleutelbos van onze conciërge. Het fietsen van en naar school elke dag. Vanaf morgen verleden tijd. Eigenlijk vanaf vanavond al. Ik vind het niet eens zo erg dat om twaalf uur de muziek uit moet en we naar huis gaan.

22.

The House speelt. Beter dan ooit. En ik ben hier samen met Thomas. We staan ergens tussen het publiek een beetje heen en weer te deinen. 't Is veel te druk om te dansen, gelukkig. En een beter excuus om dicht tegen Thomas aan te staan is er niet. Hij ruikt lekker, een geurtje dat ik nog nooit geroken heb – zou hij dat speciaal voor mij gedaan hebben? Tijdens het laatste nummer tilt hij me op zijn schouders, zo kan ik alles goed zien. Ik zie een paar bekenden van school, die eerst naar mij kijken en dan naar Thomas en dan weer naar mij. Ja, kijk maar, mensen. Ik ben hier met Thomas en wij hebben wat met elkaar!
Veel te snel is het optreden voorbij. Buiten ruikt het alsof het geregend heeft, maar de straat is droog.
We gaan een broodje eten ergens in de stad. Het is er druk. Het duurt even voor we een snackbar gevonden hebben waar ze niet alleen shoarma en gehaktballen, maar ook broodjes-gezond-zonder-ham verkopen. Thomas betaalt voor mij en

neemt één grote cola mee met twee rietjes. We gaan ermee buiten op een stoeprand zitten.

'Zo,' zegt hij. 'Nog vijf weken. Dan zit je in Rotjeknor.'

'Ik zie er best een beetje tegenop. Zo ver en...'

'Ik ook,' lacht Thomas. 'Zien we elkaar alleen in het weekeind.'

Mmm. Daar had ik nog niet eens aan gedacht.

Thomas slaat met het rietje een ritme op mijn been. Ik steek het laatste stukje komkommer in m'n mond.

'Soms vraag ik me af of ik het wel moet doen.' Ik realiseer me dat het de eerste keer is dat ik het hardop zeg.

'Hoezo?'

'Soms denk ik wel eens: moet ik niet iets normaals gaan doen? In Groningen? Dan kan ik gewoon thuis blijven wonen.'

'Iedereen gaat uiteindelijk ergens anders wonen. Alleen jij wat eerder. En je komt alle vakanties en weekeinden naar huis. Toch?'

Ik knik. Er komen twee brommers voorbij waar harde muziek vanaf klinkt.

'Ik zal je best missen,' zegt Thomas.

'Ik jou ook.' Meen ik dat?

Thomas legt zijn hand op mijn knie, zwaar en warm. Hij heeft knokige, eeltige vingers en afgekloven nagels. Echte gitaristenhanden. Ik vind ze mooi. En ik vind het zielig dat die hand daar zo alleen ligt.

Ik leg mijn hand op de zijne. Zijn huid voelt ruw, maar warm. Daar zitten we dan. Ik hoor Thomas ademen, vlak naast me. In de verte loopt een groepje te zingen op straat.

'De bus gaat zo,' zeg ik na een tijdje.

We staan tegelijk op en onze handen pakken elkaar. Zo lopen we samen naar de bushalte. Ik heb het gevoel dat de hele wereld vol verbazing naar ons kijkt.

'Heb je die nieuwe cd van *Deep Red Sky* al geluisterd?' vraagt hij.

Ik haal meteen mijn mp3-speler uit mijn binnenzak.

'Hij staat op scherp, ik luister er de hele dag naar.'

'Fantastisch is ie. Ze zijn alweer met een nieuwe bezig.'

We zijn precies op tijd voor de bus. Achterin is er gelukkig nog plek. Heel romantisch luisteren we samen naar *Deep Red Sky*, ieder met één oordopje.

Samen naar muziek luisteren is bijna net zo goed als samen muziek maken.

Thomas houdt mijn hand vast tot ik eruit moet.

De bus mindert vaart.

'Dag, Sanne.' Thomas' haar glanst in het tl-licht. Hij geeft me een kus tot de deur openzwaait.

'Tijd om afscheid te nemen, tortelduifjes,' lacht de buschauffeur.

Ik stap uit, maar als ik naar Thomas wil zwaaien als de bus wegrijdt, zie ik alleen nog zijn rug.

23.

Vlak voor we op vakantie gaan, krijgen we bericht van de HVMD dat er een gastgezin is gevonden, de familie Molenaar. Ze nodigen ons uit om kennis te komen maken. Dat doen we nog voor we op vakantie gaan. Mijn vader en moeder gaan uiteraard mee.

Ik had al gehoopt dat ze in de binnenstad van Rotterdam woonden. Als ik dan toch in de stad ga wonen, wil ik er natuurlijk midden in. En ja, de TomTom van mijn vader stuurt ons naar een straat met hoge huizen en een smalle stoep voor de deur. Hij kan nergens zijn auto kwijt, zodat hij ons er uitgooit en zelf een parkeerplek gaat zoeken. Wij lopen intussen naar de Binnenstraat nummer zestien. Dat is boven een Turkse kruidenier. Er zit een kat in de vensterbank, die onhoorbaar mauwt als hij ons ziet. We wachten tot mijn vader komt en dat duurt lang. Wat een drukte in de straat!

Daar komt mijn vader aangelopen. 'Sjonge jonge,' zegt hij terwijl hij zijn portemonnee opbergt, 'ongelooflijk! De auto staat zes straten verder en het kost drie vijftig per uur. Hoe is het mogelijk.'

Dan belt mijn moeder aan.

Een man met blond haar en een bril doet open. Wij kijken naar hem en hij naar ons en dan begint hij breeduit te lachen. 'Dag, Sanne en familie! Mijn naam is Ben.' Hij geeft eerst mij een hand en dan mijn ouders. 'Kom binnen.'

Van de trap komt een vrouw aanlopen; ze is wat mollig en heeft een grote bos rode krullen en ze kijkt heel vriendelijk. 'Dag, Sanne. Fijn om je te ontmoeten. Ik ben Marianne. Het was zeker een eind rijden hier naar toe, hè?'

We gaan de woonkamer in. Hier ga ik dus wonen, de komende tijd, misschien wel twee jaar, misschien nog langer. Het is een kleine kamer met veel boeken langs de wand. En hoeveel poezen hebben ze hier wel niet? Ik tel er drie. En er staat een gitaar op een standaard in de hoek en de helft van de boekenkast is gevuld met cd's. Wat dat betreft, zit het wel goed.

'Ga zitten. Ik heb koffie en thee.'

'Heerlijk,' zegt pap. 'Dat kunnen we wel gebruiken na zo'n rit.'

'Cor suiker en ik melk,' zegt mam op de vraag wat ze erin hebben.

'Jij ook koffie?'

'Liever thee,' zeg ik.

De poezen komen meteen bij me zitten en twee willen bij me op schoot. De grijze vind ik de liefste, die duwt zijn kop onder mijn hand. Die mag bij me liggen.

'Da's Okki, onze knuffelqueen,' zegt Marianne. Ze zet een grote pot thee op tafel. 'Zo Sanne, vertel eens wat over jezelf.'

Oei, dat is lastig. Zomaar opeens.

'Ik, eh, ik hou van muziek,' begin ik.

'Haha!' Ben buldert van het lachen. 'O ja? Wat verrassend. Dat had ik niet achter je gezocht.'

Het ijs is gebroken. Ik lach ook. Dit zijn leuke mensen. Het gesprek komt op gang.

'Ik ben vegetariër,' zeg ik.

'O, echt?' Ben kijkt wat moeilijk. 'Zeker weten?'

Ik knik. Dat vinden ze vast lastig, denk ik.

'U hoeft niet speciaal voor mij te koken, hoor,' zeg ik snel. 'Dan laat ik het vlees gewoon liggen.'

'Nee joh,' zegt Ben. 'Ik ben juist gek op koken, ik ga gewoon heel nieuwe dingen verzinnen. Voor ons ook wel eens goed, Mar, om een tijdje wat minder vlees te eten.'

Dan komen er twee boomlange jongens binnen, de een met dezelfde rode krullen als zijn moeder en de ander met een kort blond koppie. Ze hebben allebei een trainingspak aan en sportschoenen en die blonde smijt een grote sporttas in een hoek.

'Hoi, jij moet Sanne zijn,' zegt de krullenbol. 'Ik ben Benno. En dit is Victor.'

Ze geven een stevige hand.

Dan krijgen we een rondleiding door het huis. Het kleine kamertje aan de voorkant van het huis zal van mij worden. Er staat een bed en een kast en een bureautje. Ik zie mezelf hier nog niet echt slapen.

'Daar slaapt Benno en daar Victor.' Marianne raapt een sok van de vloer op. 'Ze studeren allebei. Ze wonen nog wel thuis, maar we zien ze niet veel meer. Veel te druk met van alles.'

'We zijn een soort hotel geworden,' lacht Ben. 'En daarom vinden we het hartstikke gezellig als jij hier door de week komt.'

Het is een beetje een rommeltje boven, maar dat is juist fijn, dan voel ik me vast eerder thuis. En het belangrijkste: in de badkamer is een groot ligbad.

Dan praten we nog een hele tijd over de studies van de jongens, over hoe het is om in zo'n klein dorp als Weerdveld te wonen en hoe het is om in Rotterdam te wonen. Ben en Marianne zijn er allebei geboren.

Ben maakt broodjes en groentesoep en dan gaan we weer naar huis.

80

Op de terugweg zegt niemand wat. We rijden langs enorme industrieterreinen, eindeloze wijken langs de snelwegen – waarom heb ik die op de heenweg niet gezien? In een flits zie ik een paar jongens op een skatebaan. Je zult hier maar wonen. Zo dicht bij de snelweg. Nooit stil.

In m'n hoofd wil het maar niet echt tot rust komen.

Het waren aardige mensen. Ze hadden goeie muziek. 'Mijn' kamer is groot genoeg en het lijkt me heel tof om midden in de stad te wonen.

En toch...

Niet meer zomaar op dinsdagavond een kopje thee drinken bij oma. Niet meer Tika bellen en een kwartier later op haar bed ploffen. Geen Noordzijcollege meer, geen zeurende Sarah, geen saaie Kernramp, geen Anoek meer. Niet meer elke dag op de boerderij zijn. Geen onkruidjes plukken uit de moestuin. Niet meer samen met Tika naar school fietsen en kletsen, of nog snel elkaar overhoren.

En wat ik allemaal wél krijg weet ik alleen van de website en de open dag.

'Jongens, ik ben helemaal stijf van dat lange zitten. We gaan ergens een bakkie leut halen.' Mijn vader neemt de eerstvolgende afslag en rijdt naar een tankstation. Hij haalt koffie en fris en we gaan op een bankje zitten kijken naar een paar treurige koeien die in het weiland naast de snelweg naar ons staan te kijken.

'Zeg,' vraagt mijn vader terwijl hij een zakje poedermelk in z'n beker leegschudt, 'hoe zit dat nou met Thomas?'

'Thomas?' probeer ik nog op mijn alleronschuldigst te vragen. 'Wat bedoel je?'

Mijn moeder lacht. 'Volgens mij ben je nog nooit zó lang bezig geweest met wat je aan moest dan toen je vrijdag met hem naar dat concert ging. En hij rook helemaal naar aftershave.'

Ik kan mijn grijns niet onderdrukken.

'Ik geloof dat we elkaar wel aardig vinden.' Ik hoop dat ik het zo vaag genoeg gehouden heb en dat ze niet doorvragen.

'Slechte timing, zo vlak voor je verhuizing.' Mijn vader knipoogt en neemt een slok van zijn koffie.

Als we verder naar huis rijden, zeggen we alleen dingen over
hoe ver het nog is en dat het mooi weer lijkt te worden en dat
we dat ene liedje op de radio al honderd jaar niet meer
gehoord hebben.

24.

In Zwolle springen Thomas en ik de trein uit. Een hele zaterdag in een stad waar niemand ons kent! En wij kennen de stad
niet. Het is prachtig weer en we hebben in de trein hier naartoe de hele tijd hand in hand gezeten en nog altijd laat hij m'n
hand niet los.

Vanaf het station lopen we langs het water naar de binnenstad.

'Leuk idee, om hier naartoe te gaan.' Thomas geeft me een
kus op mijn wang.

Ik durf m'n gezicht niet naar hem toe te draaien, straks gaat
hij door met kussen en ik weet niet of ik dat wil. En zeker niet
of ik dat hier wil.

Er komen mensen met een ijsje voorbij.

'Ook zin in een ijsje?' vraag ik.

Thomas laat m'n hand los. 'Doe ik wel even, wacht maar.'

Ik ga op een muurtje zitten en voel de warmte van de zon op
mijn rug. Thomas staat op de ijskaart te turen. Ik vind hem
lief, hij is grappig. En hij ziet er leuk uit.

En toch...

Ik weet het niet. Ik zou verschrikkelijk blij, trots en gelukkig
moeten zijn. Ik met Thomas in Zwolle, de zon schijnt, en hij
kijkt vanuit de verte alweer naar mij. Maar het voelt niet zoals
ik denk dat het zou moeten voelen. Dat holadiejee-gevoel
waar Tika het wel eens over heeft.

Of zou dit het gewoon zijn? Ik moet het aan Tika vragen. Ik had alleen het goeie gevoel toen we samen bij *The House* waren. En om eerlijk te zijn weet ik niet of dat nu door hem kwam of door de muziek. Maar als ik dan weer denk aan al die meiden met het optreden op het Winterfestival, dan ben ik toch maar reuzetrots dat ík hier met hem ben, die stoere gitarist.

Als die stoere gitarist terugkomt met twee magnums slaat hij zijn arm om me heen. Hij weigert mijn twee euro, hij wil alles voor mij betalen vandaag, zegt hij. 'Ik werk en ik neem jou een dagje mee uit.'

'Nou, volgens mij was dat mijn idee, meneer Slijper.'

'Mmm, mevrouw Van Lente, dan mag u vaker van dit soort dingen bedenken.'

We slenteren verder met ons ijsje, jas over onze schouder, dicht tegen elkaar aan. Dit is dan toch wel weer erg gezellig. Ben ik nou verliefd of niet?

Ach, ik moet er niet zo veel over nadenken, houd ik mezelf voor. Verliefd-zijn gaat tenslotte over gevoel en niet over verstand. Ik ga gewoon genieten van deze dag en van deze leuke jongen. We zien wel hoe het verder gaat. Ik pak Thomas' hand en ga op mijn tenen staan om hem een kus te kunnen geven.

'Hé, Sanne-*girl*,' lacht hij en hij slaat zijn arm stevig om me heen.

Een wat ouder echtpaar dat ons tegemoet komt lopen, lacht vertederd naar ons. Wij zijn natuurlijk ook erg leuk om te zien, zo samen.

Gearmd lopen we verder door de stad. Bij een cd-winkel kijken we even binnen, maar Thomas zegt, niet eens zo heel zacht: 'Pfff. Wij hebben betere muziek. Kom, we gaan verder.'

Na een tijd komen we terecht in een parkje met een speeltuin en geiten. We gaan op een bankje zitten en een stuk of wat nieuwsgierige geiten komen naar ons kijken of we brood bij ons hebben.

'Die ene lijkt wel op jou,' grijnst Thomas.

'Hé!' Ik prik hem met mijn vinger in zijn zij en Thomas klapt dubbel.

'Niet kietelen. Daar kan ik niet tegen!'

Ik ga natuurlijk door, ik heb zijn zwakke plek ontdekt en prik nog een paar keer.

'Neem terug,' roep ik. 'Ik ben geen geit.'

Thomas laat zich half op de bank vallen.

'Ik ben geen geit!' Ik kietel hem waar ik kan. 'Ik ben je vriendinnetje.'

Wat zeg ik nou? Ik schrik er zelf van. Ik stop van schrik met kietelen.

Thomas lacht en trekt me tegen zich aan. 'En ik ben je vriendje.'

En dan geeft hij me een lange, zachte kus. Het voelt fijn. En ook heel eng. Als ik even naar hem kijk, zie ik dat zijn ogen dicht zijn.

'Hé kijk,' roept opeens een jongetje.

Ik ben bang dat hij ons bedoelt, maar hij wijst naar de geiten. Een heel gezin komt brood over het hek gooien. Ze letten helemaal niet op ons. We staan weer op en lachen een beetje stom naar elkaar. Dan lopen we weer verder langs de dieren en laten elkaars hand niet meer los.

In de trein naar huis zeggen we niet veel en als we in de bus afscheid nemen, geeft hij me een kus op m'n wang.

Het lukt me best goed om het onrustige gevoel ergens in m'n achterhoofd te negeren. Dit was fijn en leuk en raar en eng en daarom moet ik het er uitgebreid met Tika over hebben.

25.

Wat een weer! Het is pas elf uur en nu al heel warm. Ik lig met Tika aan het strand. We hebben de hele dag nog voor ons. De lucht is strakblauw en het is nog niet zo heel druk.

'Nog driehonderdachtentwintig uur vakantie,' zegt Tika die

altijd al goed in rekenen is geweest.

Nog even zoveel uur voor ik in Rotterdam begin. Het lijkt nog eeuwen te duren. Eerst maar eens ontzettend van de vakantie genieten, hier en nu met Tika op het strand en een mooi boek mee en een tas vol snaaierij.

Ik heb mijn mobiel uitgezet, omdat ik geen zin heb om de hele tijd te kijken of ik iets hoor van Thomas. Hij wacht maar even. Ik spreid het badlaken uit en ga erop liggen met mijn tas als kussen. Kom maar op met die zomer!

'Heb je nou wat met Thomas?' Tika smeert haar armen in met zonnebrandcrème.

'Ik geloof het wel.'

'Je gelóóft het wel? Haha! Zoiets weet je toch?'

'Ik heb met hem gezoend. Eh, echt gezoend.'

'O ja?' Tika kijkt me aan met een mengelmoes van nieuwsgicrigheid en jaloezie.

'In Zwolle. We werden aangestaard door een stuk of tien geiten.'

Tika begint te lachen. 'Zoenen in Zwolle. Hoe was het? Wat vond je ervan? Hoe ging het?'

'Dat is zo gek,' zeg ik. 'Ik weet het niet. Op het moment zelf vond ik het wel leuk. Maar toen ik er later aan terugdacht, had ik er een dubbel gevoel over.'

Tika probeert onhandig haar eigen rug in te smeren.

'Zal ik het doen?'

Ik laat wat zonnebrandcrème, al warm van de zon, op mijn hand lopen en smeer Tika's schouders en rug in. Daarna doet zij die van mij.

'Een dubbel gevoel?' vraagt Tika als we in een wolk van Cocosungeur zitten. 'Hoezo dan?'

'Leuk. En eng. En ongemakkelijk. Net of er toch iets niet klopt. Hoe weet je nou of je echt verliefd bent?'

'Dat vroeg je de vorige keer ook al.'

We zeggen een tijdje niks. Het wordt steeds drukker op het strand.

Langs het water lopen een jongen en een meisje die elkaar om de vier stappen een kus geven.

'Ik denk dat je niet zou twijfelen als je echt verliefd was.' Tika zet een petje op. 'Want als je echt verliefd bent, dan denk je nergens over na, dan denk je alleen maar aan hem.'

Ik graaf met mijn voeten kuiltjes in het zand. Het bovenste zand is al bijna te warm om op te staan; eronder is het vochtig en koel.

'Weet je wat het zo ingewikkeld maakt,' zeg ik na een tijd. 'Ik weet niet zeker of ik hém nou leuk vind, of dat ik het leuk vind dat híj míj leuk vindt.'

'Poeh.' Tika steekt een winegum in haar mond. 'Je moet haast psychologie gestudeerd hebben om dat te begrijpen.'

Ik pak ook een winegum en daarna nog eentje.

'Heb je hem nog teruggezien daarna?' vraagt Tika. 'Na jullie dagje Zwolle.'

'Hij wou meteen de volgende dag weer iets leuks doen. Maar ik niet. Ik wou liever alleen zijn. Dat vond hij niet zo leuk, geloof ik. Toen hoorde ik een tijd niks van hem.'

'Gekrenkt ego.'

'Toen hebben we zaterdag samen ergens een broodje gegeten. Was best leuk. Daarna wou hij ook nog naar de film, maar ik ben naar huis gegaan.'

'Waarom?'

'Dat weet ik juist niet. Het is zo gek. Omdat ik het leuk vond, wil ik hem best terugzien. Maar omdat ik het eng vond, juist niet. En nu is het alweer zo lang stil. Zijn laatste sms is van eergisteren. En dat vind ik dan ook weer niet leuk.'

Ik onderdruk de neiging om stiekem te kijken of hij toevallig intussen een berichtje gestuurd heeft.

We zeggen een tijd niets. We kijken naar een vader met een meisje die samen een vlieger proberen op te laten. Maar er staat bijna geen wind. Het meisje rent met de vlieger over het strand, keer op keer, maar de vlieger valt steeds in het zand als ze hem loslaat.

'Volgens mij,' zegt Tika, 'zou je het alléén leuk moeten vinden. Niet ook eng of ongemakkelijk. Anders klopt er iets niet.' Ze krabt op haar wang. 'Ik heb er natuurlijk geen verstand van, want ík heb nog nooit een vriendje gehad. Als Thijs mij zou bellen om iets leuks te doen, dan zou ik alles meteen uit mijn handen laten vallen en met een straaljager naar hem toe gaan.'

We schieten samen in de lach.

'Ik dacht dat verkering alleen maar leuk was. Maar ik vind het best ingewikkeld.'

'Kom, we gaan zwemmen,' zegt Tika. 'Vergeet die hele Thomas maar even.'

En dat doen we. Het water is koel en het werkt bijna als wanneer ik in bad ga. Al mijn gedachten worden door het water opgenomen, uitgespoeld en fris weer in mijn hoofd teruggezet.

26.

En dan is het achttien augustus. De eerste dag van mijn nieuwe leven.

Om kwart voor zes gaat de wekker, net als ik weer even in slaap ben gevallen. Suf ga ik op de rand van mijn bed zitten. Ik heb heel slecht geslapen, ik werd steeds wakker en droomde dat ik m'n sax kwijt was en dat ik bleef rennen om de trein te halen en dat ik het goeie perron niet kon vinden.

Wat een ontzettend gek idee dat ik pas over vier nachten weer in mijn eigen bed slaap!

Gisteravond heb ik mijn tas ingepakt en ik weet zeker dat alles erin zit. Toch kijk ik nog een keer: mijn portemonnee, mijn pyjama, een boek voor onderweg, mijn mobieltje tot aan de nok toe opgeladen en twee tientjes beltegoed en mijn mp3-speler. En uiteraard mijn koffer met sax.

Ik schuif de gordijnen opzij. Het ochtendlicht werpt lange schaduwen op de weilanden en ons erf. Achter de schuur staan een paar koeien met hun staart te zwaaien. Ik zwaai terug.

Beneden is het stil. Ik zet mijn spullen bij de deur. Mijn moeder is ook wakker, ze komt de trap af.

'Hé, meissie.' Ze streelt mijn rug.

Niet doen, mam, denk ik. Straks ga ik nog janken. Ze smeert drie boterhammen voor me en samen drinken we een kop thee.

Mijn vader komt de trap af lopen, aangekleed en wel.

'Jij hoeft toch niet zo vroeg op vandaag, pap?'

We hebben gisteravond uitgebreid afscheid genomen en mijn vader heeft nog een tijd aan mijn bed gezeten toen hij dacht dat ik al sliep.

'Ik breng je naar het station.'

Pap schenkt een kop koffie in en drinkt die in twee, drie slokken op. Dan is het tijd om te gaan.

Mam neemt mijn gezicht tussen haar handen en kijkt me aan.

'Zet 'm op.'

We lopen naar buiten en papa zet mijn tassen achter in de auto. Het is nog fris buiten, maar de warmte van weer een zomerdag is al voelbaar. Ik moet opeens denken aan lang geleden, toen ik op schoolreisje ging naar de dierentuin.

Hugo staat boven voor het raam als ik in de auto stap. Hij steekt zijn hand op en ik steek mijn hand ook op. Dag broer, tot vrijdag.

Ik ben blij dat mijn vader me brengt, anders had ik met de bus gemoeten.

Onderweg zeggen we niet veel. Met mijn vader kan ik veel beter zwijgen dan met mijn moeder.

Wat een drukte op de vroege morgen bij het station. Ik wist niet dat er zo veel mensen zo vroeg met de trein moeten.

'Ik kan de auto hier niet kwijt.' Pap zet de auto stil langs de kant van de weg. 'Heel veel plezier, lieve meid.'

Hij pakt me vast, net iets te hard, zijn horloge schuurt in mijn nek. Ik ruik het scheerschuim van zijn wangen.

Ik stap de auto uit. Mijn vader toetert en rijdt weg. Ik zwaai en kijk hem na tot hij de bocht om is. Daar sta ik dan. Mijn ene tas hangt zwaar aan mijn schouder, de andere houd ik vast. Op perron zes staat de trein die ik moet hebben. Ik ga bij het raam zitten en kijk naar de drukte op het station. Wat een mensen! Sommigen rennen, anderen staan te gapen of te bellen. Als het fluitje gaat, schrikken de vlinders in mijn buik op. Eerst langzaam en dan steeds sneller verdwijnt Groningen van mijn netvlies.

Ik doe m'n oordopjes in, zet muziek aan en pak een boterham met hagelslag. Naast me komt een man zitten die meteen zijn laptop openklapt en van alles begint te typen. Wat heeft hij veel aftershave op! Zijn telefoon gaat ook nog een paar keer. 'Wacht op mij, ik regel het wel,' zegt hij de derde keer. Ik krijg geen hap door m'n keel en stop de boterham terug in het zakje.

In Zwolle moet ik overstappen en in Amersfoort nog een keer. Gelukkig staat de trein die ik moet hebben steeds op me te wachten.

Als ik in Utrecht aankom, krijg ik een sms van Tika: *'hoop dat jij het leuker hebt dan ik; drie keer frans het eerste uur (!!!) en nog steeds Kernramp voor wiskunde. Zucht. XX Tika'*

In gedachten zie ik Tika zitten in het lokaal. Balend. Naast wie zou ze zitten? Ze zei dat ze, als ik er niet was, liever alleen zat, maar dat houdt ze vast niet lang vol. Ach nee, ze zit vast al naast Evy of Bo.

Ik heb een heel hard gevoel vanbinnen. Het lijkt wel of ik een paar bakstenen heb gegeten. Ik moet echt mijn best doen om het binnen te houden, want als het ontsnapt, ga ik midden in de trein zitten janken en dan neem ik meteen de eerste trein terug. Wat doe ik hier eigenlijk? Wat heb ik me in mijn hoofd gehaald?

Ik moet me op andere dingen concentreren. Kijk naar die mevrouw met dat rare haar. En daar, een klein jongetje zit met spuug op de ramen te tekenen. Zijn moeder zit met een chagrijnig hoofd de krant te lezen. Snel doorklikken op mijn mp3 naar dat supermooie nummer van Miles Davis. Dat vult mijn hoofd wel met andere gedachten.

Het helpt. Als ik de eerste tonen van zijn trompet hoor, weet ik het weer: muziek maken vanuit je tenen. Dat is wat ik wil. Toch?

Na ruim tweeënhalf uur kom ik in Rotterdam. Mijn benen zijn stijf van het lange zitten. Zo relaxed mogelijk wandel ik naar het schoolgebouw en stap naar binnen. Anders denken ze nog dat ik nieuw ben hier. Een beetje verloren voel ik me wel, want ik heb geen idee waar ik moet zijn.

Net als ik besloten heb om eerst naar de kantine te gaan komt er een meisje op me af.

'Ben jij ook voor het eerst vandaag?' zegt ze. Ze heeft kleine zwarte krulletjes. Ze steekt haar hand uit: 'Ik ben Naomi.'

'Ik ben Sanne.'

We staan elkaar aan te kijken. Naomi heeft een vrolijk hoofd.

'Wat voor instrument doe jij?' vraagt ze.

'Saxofoon. En jij?'

'Ik zing.'

'Wat leuk.'

'Woeha,' zegt ze opeens met een diepe zucht. 'Ik vind het zo spannend. Jij ook?'

'Ja, enorm.' Ik vind Naomi meteen een leuk mens.

'Gelukkig,' roept ze. 'Ik was al bang dat ik de enige was. Waar moeten we zo zijn?'

'Ik heb geen idee.'

Naomi pakt mijn arm en zegt: 'Kom, we gaan het aan een leuke jongen vragen. Die daar.' En ze stapt op een blonde jongen met een bril af. Hij sleept met een zware koffer en lijkt in gedachten verzonken.

'Hoi,' zegt Naomi. 'Zit jij hier op school?'

'Eh, ja,' zegt hij. Hij duwt zijn bril steviger op zijn hoofd.

'Weet je waar lokaal zes-zeventien is?'

De jongen kijkt rond. *'Six-seventeen? That is on the sixth floor, at the end of the gallery.'*
Naomi en ik kijken elkaar aan en schieten in de lach.

Het lokaal is zo gevonden en er zitten al wat leerlingen die ons nieuwsgierig aankijken.

'Hoi,' zegt Naomi en omdat ik haar al 'ken', is het een stuk minder eng om deze klas vol onbekenden in te lopen. We kijken allemaal een beetje onwennig naar elkaar. Dan begint Naomi te kletsen en na een tijdje praat iedereen met iedereen. Er komen er nog meer binnen en het lijkt al bijna heel normaal. Er zitten twaalf mensen in onze klas. Die ene leuke jongen die op de open dag saxofoon speelde, is er ook. Hakim heet hij. Hij heeft donkere krullen en hele grappige pretoogjes, zie ik nu van dichtbij.

Dan komt er een vrouw binnen met kortgeknipt blond haar. Ze duwt met haar voet de deur dicht en tegelijk valt er een stapel papier uit haar handen. Alle blaadjes zweven door het lokaal.

'Dat is nog eens een goeie binnenkomer.' Ze lacht zelf het hardst.

We helpen haar natuurlijk opruimen. Ze gaat op de voorste bank zitten.

'Ik ben Beatrijs. Ik ben jullie mentor. Alles wat je wilt weten, kun je aan mij vragen, maakt niet uit wat. Of als je ergens mee zit, kom er mee. Want hoewel het hier allemaal erg leuk is, is dit meer dan alleen school. Je leert hier Nederlands en Engels en natuurlijk je muziek, maar je leert hier het meeste over jezelf. En dat, lieve mensen, is het moeilijkste vak dat er is. Er zijn geen boeken voor, je kunt er niks over op internet zoeken en wij, de docenten, weten niet meer dan jij. Je moet het allemaal zelf uitzoeken.'

Het is stil in de klas. Iedereen kijkt haar aan.

'Muziek op dit niveau is niet iets wat je erbij kunt doen. Geen leuke hobby. Als je echt alles eruit wilt halen wat erin zit, zul je jezelf flink tegenkomen. En niet iedereen kan dat.'

Ze kijkt de klas rond. 'Jullie zijn in elk geval door het toelatingsexamen gekomen. Dat was de eerste stap van duizend stappen. En als het goed is, zul je nooit stoppen met klimmen.'
Ik voel gewoon dat iedereen van plan is om z'n ongelooflijkste best te doen.
Dan volgen de praktische mededelingen. We krijgen te horen waar alles is en wanneer we onze boeken moeten halen en wat we de eerste week gaan doen, enzovoort.

In de kantine krijgen we soep met broodjes.
'Dat is eenmalig, mensen,' zegt Beatrijs. 'Volgende keer nemen jullie gewoon je broodtrommel mee.'
Ze komt bij ons aan de tafel zitten en schudt met haar oorbellen voor ze een hap neemt van haar broodje kaas.
'Sanne, jij komt hier niet vandaan, hè?' vraagt ze met haar mond vol.
'Nee, ik kom uit Groningen. Weerdveld.'
'Zo,' zegt Naomi. 'Dan moet je echt vroeg op.'
'Nou, dat valt wel mee. Ik woon in een gastgezin.'
De rest woont allemaal thuis in Rotterdam of er een eindje buiten. Een paar moeten van heel ver komen, eentje uit Zeeland zelfs. Die komt elke dag met de bus.
'Mis je je ouders niet dan?' vraagt Naomi.
'Dat weet ik nog niet,' lach ik snel. 'Ik heb ze vanmorgen nog gezien.'

's Middags hebben we een paar introductielessen muziek en aan het eind van de dag spelen we met z'n allen een stuk dat iedereen kent, omdat we het moesten instuderen voor het toelatingsexamen.
Hoewel ik met deze mensen nog lang niet het samenspeelgevoel heb dat ik met Thomas heb, is de sfeer meteen heel erg goed. We waren vrij stil vandaag, maar nu we muziek maken, breekt het ijs meteen.
De dag vliegt voorbij en aan het eind van de dag heb ik heel

wat mensen leren kennen. Naomi natuurlijk en een jongen die Bas heet; die is wat stug en heeft nog niet zoveel gezegd. Verder zit er een Finn in de klas, die echt heel goed piano kan spelen. En een verlegen meisje van wie ik nog niet weet hoe ze heet. Ze speelde een stukje dwarsfluit waarvan ik kippenvel kreeg. Ongelooflijk mooi.

We kennen elkaar nu een paar uur, maar het lijkt alsof het weken zijn.

27.

Dan is de eerste dag afgelopen. Het dwarsfluitmeisje gaat net als ik een stuk met de tram. Ze heeft lang blond haar en blauwe ogen en ze is opeens niet meer zo verlegen.

'Waar woon jij?' vraagt ze.

We blijken vlak bij elkaar te wonen.

'Wat vond jij er vandaag van?' vraagt ze.

We kletsen over van alles. Binnen no time stopt de tram bij de halte waar ik eruit moet.

'Ik weet niet eens hoe je heet! Ik heet Sanne.'

'Elisa.'

'Doei, Elisa!' En ik spring de tram uit.

Tegenover de halte zit een galerie met afschuwelijke kunst. Ik kijk in de etalage. Wat duur! Ik kan niet geloven dat iemand zulke lelijke schilderijen wil kopen. 't Is voor mij wel handig te onthouden dat ik er hier uit moet.

Ik neem de tweede steeg links aan de overkant en daarachter ligt het huis van Ben en Marianne. Ik loop door de straten en langs de winkels alsof ik hier al jaren woon. Zo voelt het ook. Niemand kijkt naar me. Ik heb zin om niet direct naar huis te lopen, maar eerst op ontdekkingstocht te gaan door de stad. Hè, dacht ik nou 'huis'?

Maar ontdekkingstochten zijn wat lastig met een saxkoffer en twee sporttassen vol bagage. Dat komt allemaal nog wel. Ik loop de Binnenstraat in en bij nummer zestien sta ik stil. Even krijg ik een hele rare gedachte: stel je voor dat ik me vergist heb, dat het verkeerd is afgesproken, dat ik hier niet ga wonen. Dat ze me niet meer kennen, of dat het niet het goeie huis is. Zou er wel iemand thuis zijn? Het is toch wel goed afgesproken allemaal?

Ik bel aan en Marianne doet open.

'Hé, Sanne! Hoe was je eerste dag?'

Ze neemt een tas van me aan en we lopen de trap op. Twee poezen komen uitgebreid aan de tassen en aan mij snuffelen. Ik aai ze over hun zachte kopjes.

Marianne zet thee en ik krijg een sleutel van het huis. Dan hoef ik voortaan niet meer aan te bellen.

'Ga lekker zitten, meid, dan maak ik thee.'

Ik ga in de woonkamer zitten. Thuis was ik vast even gaan liggen op de bank, of had ik allang zelf een koekje gepakt en de tv aangezet.

Nu wacht ik netjes tot Marianne de thee (veel donkerder dan thuis) op tafel heeft gezet.

'Zeker gek om hier te zijn, hè?' Ze zet een schotel met chocolaatjes op tafel en steekt er meteen een in haar mond.

'Ja, wel even wennen.'

'Snap ik helemaal. Ik ga zo boodschappen doen. Red jij je hier?'

'Tuurlijk.'

Daar ben ik blij om. Even alleen zijn... Ik denk dat Marianne dat expres doet. Ze had ook vanmorgen boodschappen kunnen doen.

We drinken de thee en praten wat over het weer: het is warm, maar minder dan gisteren, en de margrieten op het balkon zijn helemaal verschroeid, ook al kregen ze genoeg water.

Dan staat Marianne op en pakt de boodschappentas. 'Tot straks. En nog wat: je mag de telefoon altijd gebruiken. Dat hoef je nooit te vragen.'

Als ze weg is, bel ik meteen naar huis. De telefoon blijft maar overgaan. 'Neem nou op,' roep ik vanbinnen. Dan hoor ik de voicemail. Ik probeer het nog een keer. Misschien was mijn moeder net buiten in de moestuin en stond ze haar laarzen uit te wurmen en was ze net niet op tijd bij de telefoon. Maar nee. Ik probeer het nog een keer en dan druk ik de verbinding weg. Straks nog eens proberen.

Ik sleep mijn tassen de trap op en ga naar 'mijn' kamer. Het ruikt er naar schoonmaakmiddel. Ik ga op de rand van m'n bed zitten. De kamer is ongeveer net zo groot als die van mij. Er zit wit behang met een roze bloemetje op de muur en het houtwerk is wit geschilderd. In de vensterbank staat een vaas met een paar rozen.

'Je moet meteen wat van je eigen spullen neerzetten,' had Tika gezegd. 'Dan voelt het sneller meer van jezelf.'

Ik pak m'n tas uit. M'n boeken zet ik op het plankje boven het bureautje, de mp3-speler leg ik naast m'n bed op het nachtkastje. Dan pak ik een foto van ons viertjes. Genomen vorig jaar op vakantie, met de zelfontspanner. Papa was steeds net te laat, behalve op deze. Daarom heeft hij zo'n verschrikte blik in z'n ogen. Ik trek een verdwaalde punaise uit het behang en prik de foto boven m'n bed.

Uit het voorvakje van de tas pak ik het geurtje dat ik van Tika heb gekregen. Ik spuit het op mijn pols en snuif de geur op, zo diep als ik kan. Heel langzaam blaas ik de lucht weer uit.

Dan ga ik voor het raam staan. De Binnenstraat is een drukke straat. Winkels, huizen, een bushalte en veel auto's. Je kunt gewoon bij de buren aan de overkant naar binnen kijken. Ik zie een man in een kamer staan bellen. En in een ander huis zie ik een rood vest over een stoel hangen en twee koffiekopjes op tafel staan. Ergens op een kamer boven zit een meisje achter een computer. Ik voel me wel een beetje een gluurder, maar ja, ik kan er ook niks aan doen. Ik denk aan de weilanden en de knotwilgen die ik zie als ik uit mijn eigen raam kijk. En de vogels en de paarden en koeien.

Gek idee dat ik deze overburen nu vaker zal zien dan mijn koeien.

Dan klinkt er allerlei gestommel beneden. Dat zijn zeker de broers die thuiskomen. Is het de bedoeling dat ik ook naar beneden ga? Of zal ik wachten tot ze me roepen? Wat raar dat je daar opeens over na moet denken. Ik lees eerst nog een paar bladzijden in mijn boek.

'Sanne, kom je?' hoor ik na een tijd.

Iedereen zit beneden aan tafel. De jongens steken joviaal hun hand op: 'Ha, daar is ons leenzusje!' Benno, de krullenbol, schuift een stoel voor me naar achteren.

'Dames en heren.' Ben stapt uit de keuken. 'We gaan eten.'

Hij heeft vlekken tot op zijn voorhoofd en het hele aanrecht ligt bezaaid met verpakkingen en schalen.

Grappig, want mijn vader heeft volgens mij nog nooit gekookt. Niet echt dan. Hij heeft een keer diepvriespizza's in de magnetron gedaan en ze kwamen er bijna vloeibaar uit. Niet te eten. Da's de enige keer dat ik mijn vader met een schort om herinner.

Trots zet Ben de schalen op tafel.

'Wat is dit?' vraagt Benno.

'Je bent toch niet weer een cursus aan het doen, hè?' roept Victor.

'Hou je mond, schurk,' lacht Ben. 'Dit is een welkomstmaaltijd voor Sanne. Heb ik héél erg mijn best op gedaan. Met gepaste trots presenteer ik u: paprika's, gevuld met avocado en room, gegrilde aardappelschijfjes en Turkse salade met peer en geitenkaas.'

Ik neem me vast voor om mijn hele bord leeg te eten, waar het ook naar smaakt. Maar dat is niet zo moeilijk, want het is erg lekker en helemaal vegetarisch.

'Sanne, wil je nog wat?' Victor houdt de lepel bij m'n bord.

'Ja, graag,' zeg ik.

'Nou pap, je hebt er een fan bij, hoor,' lacht Benno.

'Er eentje bij? Je bedoelt: hij heeft eindelijk een fan.' Victor knipoogt.

'Eindelijk is er iemand die alles wat geen pizza is ook kan

waarderen,' zegt Ben. 'Stelletje culinaire barbaren.'

'Nee, dat zijn ze niet, hoor,' zegt Marianne. 'Victor lust wel honderd verschillende pizza's.' Ze neemt een grote hap en grijnst.

'Sanne, hoe gaat dat met eten bij jullie thuis?'

Victor schraapt het laatste beetje uit de schaal.

Ze willen van alles van me weten en de jongens hebben de grappigste verhalen over hun studie, waarbij ze zelf het hardste moeten lachen.

Na het eten gaan Victor en Benno weer weg en binnen de kortste keren is het huis weer leeg.

Er is géén vaatwasser in huis. Dus ga ik met Marianne afwassen. Wie kookt, hoeft niet af te wassen, is hier de regel. En da's best gezellig.

's Avonds ga ik op m'n kamer zitten en bel ik nog een keer naar huis.

'Met Ina,' zegt m'n moeder.

Ik doe mijn ogen dicht en zie haar in gedachten aan de keukentafel zitten.

'Hoi, mam.'

'Sanne! Hoe gaat het? Wacht, ik zet je op de speaker, dan kunnen papa en Hugo ook meeluisteren.'

Ik hoor wat gekraak en een tik.

'Zo, daar ben ik weer. Vertel!'

Hoewel ik helemaal vol ben van de dag, merk ik dat ik vrij snel uitgepraat ben. Zó veel is er natuurlijk nog niet gebeurd.

In gedachten zie ik mijn vader en moeder op de bank zitten en Hugo loopt waarschijnlijk heen en weer of hij staat voor het raam.

'Lieverd, ik moet ophangen,' zegt m'n moeder. 'Ik ga zo naar tennis.'

'Oké. Mam?'

'Ja?'

Ik ben vergeten wat ik wilde vragen.

'Wat hebben jullie gegeten?' zeg ik dan.

Mam lacht. 'O eh, spinazie met ei. Hoezo?'

'Zomaar.'

'Welterusten voor straks.'

'Trusten,' brom ik.

De verbinding wordt verbroken.

Ik ga bij Ben en Marianne in de woonkamer televisie kijken.

Er is een stom programma over politiek. Ik kijk naar de pratende hoofden, maar ik heb geen idee waar het over gaat. Het liefst zou ik in bad willen, maar dat durf ik niet te vragen. Thuis ga ik altijd zo lang en het lijkt zo gek om hier meteen de eerste avond de badkamer een paar uur in beslag te nemen. Dan zou ik niet lekker liggen.

Ik tel de minuten af tot het tien uur is.

'Ik ga naar bed.'

'Prima,' zegt Marianne. 'Weet je het allemaal te vinden?'

Ik knik.

'Welterusten,' zegt Ben.

'Welterusten.'

Op mijn kamer doe ik snel mijn pyjama aan en poets mijn tanden. Door de muur hoor ik de muziek uit Benno's kamer. Ik doe het licht uit en ga voor het raam staan. De overburen zitten tv te kijken, die ernaast zitten allebei te lezen en het meisje boven zit nog steeds, of weer, achter de computer. Het beeldscherm is het enige wat licht geeft in haar kamer. Dat zou ik nu ook wel willen, even msn'en met Tika. Ook dat durf ik nog niet te vragen. Beneden staat een computer, maar die gaat volgens mij alleen aan als Ben een brief gaat typen of zo. En om nou bij die jongens op de kamer te gaan zitten msn'en terwijl ze ernaast staan, dat is ook zo stom. Dat komt misschien nog wel eens.

Het is hier nooit helemaal stil. Altijd hoor je ergens een auto rijden, iemand die langsloopt praten, een sirene in de verte.

En als het stil is, is het een ander soort stilte. Ik denk aan mijn eigen fijne kamer, met gewoon een bed en gewoon een bureau, maar helemaal van mij. En hoewel ik al heel vaak op vakantie ben geweest en op muziekkampen en met Tika hele einden heb gereisd en gekampeerd, voelt het nu alsof ik verder weg ben dan ooit. Ik moet opeens denken aan die keer toen ik bij tante Agnes logeerde. Het was koud op de slaapkamer en ik durfde niet te vragen om een warmwaterkruik, die mijn moeder thuis altijd in m'n bed legde voor ik ging slapen. Ik was nog nooit zo blij om mijn ouders weer te zien.

Uit mijn tas vis ik mijn mobiel. Ik weet zeker dat Tika een sms heeft gestuurd om me welterusten te wensen.

Geen berichten.

Geen gemiste oproepen. Zelfs niet van Thomas. Hè? Dat kan toch haast niet? Ik kijk bij het licht van de lantaarnpaal buiten of ik bereik heb. Dat heb ik.

Het is te laat om Tika nog te bellen. Ik typ een *'welterusten'*, die ik op het laatste moment weer wis. Het lijkt zo stom om dat opeens te doen. Alsof zij, thuis, in haar eigen bed, door mij welterusten gewenst wil worden. Dat doe ik anders ook nooit. Ze zal wel denken.

Dat ik niks van Thomas heb gehoord, vind ik zwaar irritant. We hebben elkaar nog een paar keer gezien en dat was best gezellig. Hij moest veel werken in de vakantie en kon niet elke keer mee de stad in. Maar hij stuurde een kaartje en een paar hele lieve sms'jes. Behalve vandaag. Mijn eerste dag in mijn nieuwe leven en hij heeft er niet aan gedacht.

Aan de overkant gaan lichten uit en ik hoor dat Ben en Marianne ook naar bed gaan. Uit de kamer van Benno klinkt nog zacht muziek. Dan gaat ook het ganglicht uit. Opeens is het donker. Niet zo donker als thuis, want het licht van twee lantaarnpalen valt naar binnen.

Ik ga in bed liggen. Het dekbed ruikt naar een wasmiddel dat ik niet ken en ik hoor een vreemd gezoem ergens in huis. Zou dat de wasmachine zijn?

De gordijnen heb ik opengelaten. Zo kan ik de lucht zien. Kijk, de grote beer. Die kan ik thuis ook zien vanuit mijn kamer.

28.

Tweeënhalf uur in de trein niets doen. Tweeënhalf uur alleen muziek luisteren. Maar dat red ik niet eens: nog voor Utrecht val ik in slaap. Gelukkig word ik op tijd wakker om over te stappen. Vlak voor Groningen houd ik mijn gezicht dicht tegen het glas om te zien hoe de trein het station binnenrijdt. Als we stilstaan, zwaaien de deuren open en zet ik mijn voet weer op Groningse grond.

'Hé, Sanne,' hoor ik iemand zeggen.

Papa! Ik vlieg hem om z'n nek, kan me niks schelen dat andere mensen het zien.

De auto staat een heel eind verder en het laatste stukje lopen we gearmd. Daar komt toch nooit iemand die ik ken.

Papa houdt de deur voor me open. 'Na u, dame.'

We zijn al een eind onderweg als ik iets bedenk.

'Moest je niet werken vanmiddag?' vraag ik. Vrijdag is altijd een lange dag voor m'n vader.

'Ik kan helaas niet op élke vergadering zijn.' Pap lacht terwijl hij voor zich uit blijft kijken. Hij knijpt even in m'n nek.

Voorbij de bocht met de hoge bomen zie ik ons huis. Het grind knerpt onder de autobanden als we het erf op rijden.

Alles is er nog, natuurlijk, alles is nog hetzelfde, maar het lijkt of ik de manden met roze cyclamen die bij de deur hangen voor het eerst zie. Het valt me nu pas op hoe laag het dak van ons huis is en hoe ver je hier kunt kijken en hoe heerlijk het hier ruikt, naar bloemen, stro en zelfs de mestgeur van een paar weilanden verder snuif ik op alsof het het lekkerste is wat ik ooit geroken heb.

Ik moet me inhouden om niet te huppelen, want dat doe je natuurlijk niet als je in havo vier zit.

Mijn moeder staat te koken in de keuken; het ruikt heerlijk naar tomatensoep en vers brood. Als ze ons ziet, komt ze naar buiten en ze omhelst me met ovenhandschoenen en al. 'Wat fijn dat je er weer bent!'

Hugo zit binnen achter de pc.

'Hoi,' zeg ik tegen z'n rug.

Hij kijkt om en zegt hoi terug, alsof ik een boodschapje heb gedaan.

Ik ga op m'n bed zitten. Wat lijkt mijn kamer opeens ontzettend van mij! De warme deken aan het voeteneind, de foto's van ons optreden op het Winterfestival, met spelden aan de muur geprikt. En de foto's van Tika en mij toen we slap van het lachen pasfoto's in zo'n hokje op het station lieten maken. De barst in de spiegel, de knuffels in de vensterbank, de rij cd's in de boekenkast.

't Is net of alle spullen ook weer heel blij zijn om mij te zien. Ik kijk uit mijn eigen raam waar al mijn koeien staan te grazen en te slaan met hun staart. Wat is het hier stil! Ik hoor alleen een tractor in de verte, een merel ergens. En drie kloppen op de deur.

'Mag ik binnenkomen?' vraagt mijn vader.

Hij gaat naast me staan. Samen kijken we naar buiten. Verder niks. Gewoon even samen staan kijken. Mijn batterij wordt weer helemaal opgeladen met thuis-energie.

'Komen jullie eten?' roept mam na een tijd.

We schuiven aan tafel. Wat lijkt het lang geleden dat we zo zaten!

Nou moet ik ook niet overdrijven natuurlijk, ik ben maar vijf dagen weggeweest, vier nachten. Stelt niks voor. Toch?

'Vertel,' zegt m'n moeder.

Dat laat ik me geen twee keer zeggen. Natuurlijk heb ik elke dag gebeld, maar ik wil zoveel meer vertellen. En ik wil ook weten wat hier is gebeurd, ook al was het een hele gewone week.

Na 't eten ga ik naar buiten. Even die heerlijke koeienlucht inademen! Die heb ik flink gemist. Ik haal zó diep adem dat ik bijna duizelig wordt. Alle Rotterdamse lucht eruit en Weerdveldse erin.

Ik pak mijn fiets en rijd richting dorp.

Ik heb geen zin om naar Thomas te gaan. De hele week heb ik niets van hem gehoord en om eerlijk te zijn zit me dat behoorlijk dwars.

Ik kom als vanzelf bij Tika's huis terecht. Gelukkig is ze thuis.

'Jaaa, Sannie! Ik ben alleen thuis, kom binnen.'

Vijf minuten later lig ik naast Tika op de bank met een grote zak M&M's tussen ons in.

'Vertel,' roept Tika. 'Ik wil alles horen.'

Ik vertel, ik vertel. Zo'n prater ben ik normaal gesproken echt niet, maar er moet van alles uit.

'Het is zo gaaf om met allemaal mensen te zijn die ook zo van muziek houden. De eerste dag leerde ik Naomi kennen, dat is echt een tof mens, ik weet zeker dat jij haar ook leuk zult vinden.'

'Wat doet zij voor instrument?' Tika zit ondertussen haar agenda vol te kladderen met poppetjes.

'Die zingt. Mooi!'

'En verder?'

'Je mag de meeste leraren bij hun voornaam noemen. Da's even wennen.'

'O, echt? En hoe ziet je rooster eruit? Wat heb je verder voor lessen?'

'De meeste lessen zijn net als hier, maar de muzieklessen zijn echt geweldig. Allemaal van echte muzikanten, die ook op het conservatorium lesgeven. Je mag zo veel en vaak oefenen als je wilt en niemand lacht je uit omdat je zo fanatiek ben. En we hebben eens in de zoveel tijd een uitvoering. Kom je dan ook luisteren?'

'Ja, tuurlijk,' zegt Tika. Ondertussen ligt ze op de bank met haar benen tegen de muur omhoog en ondersteboven kijkt ze me aan.

'En hoe zijn die lui bij wie je woont?'

'Ben en Marianne. Die zijn een beetje vreemd, maar hartstikke aardig. Ze houden van muziek, dus dat is al heel wat, en ze koken ook best lekker. En vegetarisch, speciaal voor mij.'

'Zijn die zonen leuk?' Tika gooit een M&M in haar mond.

'Jawel,' zeg ik. 'Je kunt erg met ze lachen. Vooral samen zijn ze lollig. Maar veel zie ik ze niet, ze zijn altijd naar school of sporten of weet ik wat.'

'En zit er nog wat leuks aan jongens in je nieuwe klas?' vraagt Tika.

Ik ben van plan om nee te zeggen, maar Tika heeft me door: 'Je begint te lachen. Vertel!'

Ik voel me betrapt, maar toen Tika het vroeg, moest ik inderdaad meteen aan iemand denken.

'Niks bijzonders.' Ik pak een handje M&M's. 'Een jongen in de klas vind ik erg grappig, Hakim heet hij. Hij speelt ook sax.'

Mag ik dit wel zeggen, vraag ik me af, vanwege Thomas?

'Hoe ziet hij eruit?'

'Donkere krullen heeft hij en hij is lichtbruin en zijn ogen zijn een soort van groen, en soms ook bruin. Ik denk dat zijn ouders uit het buitenland komen, Indonesië of zo. Hij kan soms ook van die mooie dingen zeggen, heel poëtisch.'

'Maak eens stiekem een foto,' lacht Tika. 'Hij klinkt erg leuk.'

'Misschien staat hij op Hyves,' bedenk ik.

Tika zet haar laptop aan en we zoeken en vinden hem. Hij staat erop met een foto waarop hij sax speelt en heel grappig kijkt.

'Dat lijkt me een vrolijke jongen. Nu we het toch over jongens

103

hebben: hoe is het met Thomas? Je bent natuurlijk net als eerste bij hem geweest.'

'Nee. Ik heb de hele week nog niets van hem gehoord.' Ik hoor aan mezelf dat ik best kwaad klink. 'Morgen zal ik hem eens bellen. Misschien.'

'Ach ja, die jongens. Hij is vast heel druk geweest.'

'Dan had hij me toch wel één keer kunnen bellen? Of mailen? Of sms'en?'

'Heb jij hem wel gebeld dan? Of gemaild?'

Mm. Da's waar. Ik haal m'n schouders op.

'Ik had als laatste gemaild, en ik ga hem niet als een hondje achterna lopen.'

Tika knikt begrijpend en kijkt me aan.

Ik kijk de kamer rond. Er hangt een nieuw schilderij aan de muur, met twee grote rode vlekken. Het zou me niets verbazen als het afkomstig was uit die Rotterdamse galerie, waar ik altijd uitstap.

'Weet je wat het is? Het klinkt misschien stom om te zeggen, maar ik heb hem helemaal niet gemist.' Ik neem een slok cola. 'Erger nog: ik heb bijna niet aan hem gedacht.'

'Door je nieuwe school.'

Ik pak weer een paar M&M's. Toevallig alleen rode.

'Dat weet ik niet.'

'Of komt het door die nieuwe jongen?'

Ik schud m'n hoofd. 'Nee. Het is gewoon… Ik weet het niet.'

Tika tikt met een M&M tegen een tand.

Even zeggen we niks.

'Je weet het wel,' zegt Tika vlak voor ze het chocosnoepje vermorzelt.

Ik blader wat in een tijdschrift dat op haar bed ligt. Er staan trucs in voor krullen in je haar, en de nieuwste mobieltjes. Hippe tassen die ik met geen jaar zakgeld zou kunnen betalen. Vijftig manieren om je vriendje te dumpen. Ik sla het blad dicht.

'Heb je Thijs nog gezien?' vraag ik.

'Gezien, ja heel veel gezien.'

We barsten tegelijk in lachen uit. Hè, wat heerlijk om weer met Tika te praten!

'En hoe is het hier verder?'

'O, z'n gangetje,' zegt Tika. 'We hebben een ongelooflijk irritant rooster. Veel tussenuren, maar nooit zoveel dat je de stad in kunt of naar huis. Dan moet je van pure ellende huiswerk gaan zitten maken. Voor de rest is er niet veel veranderd. Sarah denkt nog altijd dat ze een topmodel is of zangeres wordt, de verkering tussen Bo en Jasper is' – Tika kijkt op haar horloge – 'deze week maar zes keer uit geweest en zeven keer weer aan en Evy staat nog altijd de hele pauze voor de spiegel in de wc.'

We zwijgen even. Vreemd dat er in mijn leven zo veel veranderd is en dat het lijkt alsof hier alles hetzelfde is gebleven. Behalve dan dat ik er door de week niet ben.

Als ik naar huis fiets, realiseer ik me dat ik niet aan Tika heb gevraagd hoe het met haar ouders gaat.

29.

Ik bel bij Thomas aan. Gek, ik ben nog maar een keer bij hem thuis geweest. Zijn moeder is een stuk ouder dan die van mij en hoewel ze ongetwijfeld heel aardig is, lijkt ze me heel streng en saai. Thomas' vader leeft al lang niet meer.

'Dag, Sanne,' zegt zijn moeder, die de deur opendoet. 'Thomas zit boven. Ik zal hem zo roepen. Wil je thee?'

'Ja, graag,' zeg ik. Met tegenzin, want ik weet nog van de vorige keer dat de thee veel te slap was.

Thomas' moeder houdt de deur van de woonkamer voor me open. Liever was ik doorgelopen naar boven om meteen door de zure appel heen te bijten.

'Thomas, je vriendinnetje is er,' roept zijn moeder naar boven. Ze draagt een keurig jasje en ik zie dat ze haar nagels gelakt heeft, iets wat mijn moeder echt nog nooit gedaan heeft. En het is ook zo netjes hier. Nergens zie ik een stofje op de grond of een rondslingerend boek of zo.

Mevrouw Slijper glimlacht naar me voor ze naar de keuken loopt om, bijna zonder geluid, thee in te schenken. Ik sta midden in de kamer, ik weet niet of het beleefd is om te gaan zitten. In de boekenkast kijken om te zien wat ze lezen, durf ik ook niet.

Het duurt even voor Thomas naar beneden komt. De deur zwaait open en hij loopt naar me toe. Hij wil me een kus geven, maar ik doe een stap achteruit. Hij kijkt verbaasd.

Thomas' moeder zet de thee met koekjes op het glazen bijzettafeltje en schenkt ons in.

Wat is er? gebaart Thomas.

Zeg ik zo, gebaar ik terug.

Eerst moeten we ons door de thee en de zompige koekjes heen werken.

'Hoe is het op je nieuwe school?' vraagt Thomas' moeder.

Ik vertel wat over de lessen en hoe leuk ik het vind dat we zo veel muziek kunnen maken zonder dat de rest van het werk in het gedrang komt.

'Wat leuk,' lacht mevrouw Slijper tegen Thomas. 'Nog zo'n muzikaaltje in de familie. Dat wordt een muzikale bruiloft.' Ze lacht hard.

Ik ontwijk Thomas' blik. Ik wil niet weten of hij ook lacht.

'En ook nog samen in de band. Wanneer is er weer een optreden?'

Thomas haalt zijn schouders op. Ik weet dat ze dit uit beleefdheid vraagt, ze is nog nooit naar een optreden komen kijken. Te veel herrie. Dat vindt Thomas niet leuk. Ik zie dat hij op zijn thee blaast.

'Ga je mee een stukje lopen?' vraagt hij als we de thee weggewerkt hebben.

'Veel plezier, jongelui,' zegt Thomas' moeder. Ze zwaait ons uit voor het raam.

'Wat is er aan de hand?' vraagt Thomas meteen als we buiten zijn.

'Dat kan ik beter aan jou vragen. Ik heb de hele week niks van je gehoord.'

'Ik ook niet van jou. Het was zeker veel te leuk in Rotterdam.' Thomas steekt zijn handen ver in zijn broekzakken.

'Te leuk? Wat bedoel je daar nou weer mee?' Ik begrijp er niets van.

'Het lijkt wel of je mij niet meer ziet staan.'

Thomas loopt snel, ik houd hem haast niet bij. En hij loopt zeker een meter bij me vandaan. Dat was een paar weken geleden wel anders.

Hij is dus boos omdat ik niks van me liet horen. Mm. Ik dacht toch wel dat mijn verontwaardiging over Thomas' stilzwijgen méér terecht was dan die van hem over mij. Tenslotte is hij met dat hele verkeringgedoe begonnen.

We lopen een heel stuk zonder iets te zeggen. Ik hoop dat Thomas verder gaat met praten, maar dat gebeurt niet. Tika heeft eens gezegd dat jongens niet zo goed zijn in relatiegesprekken.

'Weet je,' zeg ik na een tijd, 'ik geloof dat ik eerlijk moet zijn. Volgens mij ben ik niet echt verliefd op je. Het is…'

Ik probeer de juiste woorden te zoeken, maar kan ze niet vinden. Steeds als ik er een bedenk, lijkt het weer zo stom.

Thomas kijkt stug voor zich uit.

Ik haal diep adem en met de lucht die uitstroomt, zeg ik: 'Ik denk dat we het beter uit kunnen maken.'

We lopen een eind richting de weilanden. Er rijden een stuk of wat tractors op de akkers en er ligt flink wat modder op de weg.

'Oké,' zegt Thomas na een tijd.

Oké? Is dat alles? Hoewel ik me op allerlei moeizame gesprekken had voorbereid en dit veruit de makkelijkste was, vind ik het toch knap beledigend. Zomaar oké? Niet proberen om me over te halen? Op zijn knieën voor me neerstorten?

Thomas trekt een zorgelijk gezicht. 'Het moet van twee kanten komen.'

Ik merk dat hij probeert me niet aan te kijken.

Ik heb geen idee of ik nu boos of opgelucht moet zijn.

'Zullen we vrienden blijven?' Vreselijk, wat een soap-zin. Maar iets beters weet ik ook niet.

'Dat lijkt me een heel goed idee.'

We lopen terug het dorp in. Thomas loopt nog sneller en zwijgt.

Is hij boos? Of opgelucht? Misschien was hij ook wel niet meer verliefd. Of is hij verdrietig, maar wil hij z'n tranen niet laten zien.

Als we bij mijn fiets aankomen, loopt hij weg zonder verder nog iets te zeggen.

30.

Oma ligt alweer in bed. Ze ziet er moe en wit uit, maar haar ogen glimmen als ik binnenkom.

De televisie staat in de slaapkamer en oma kijkt naar het Metropoolorkest.

'Zo mooi,' zegt ze. 'Ik vergeet even alles om me heen.' Ze veegt haar ogen af en pakt de afstandsbediening.

'U mag wel verder luisteren, hoor. Luister ik mee.' Ik ga naast haar op het bed zitten en ze zet de tv weer aan.

'Dit is een stuk van Bach.' Oma legt haar hand op mijn arm. 'Ik vind het zo mooi. Het troost me zo. Alsof iemand mij helemaal van binnenuit begrijpt en omhelst. Ik moet er iedere keer van huilen.'

We zeggen helemaal niks tegen elkaar, mijn oma en ik. We luisteren alleen maar. Pas als de reclame begint, zet oma de tv uit.

'Zo.' Ze klinkt een stuk opgewekter. 'Dat had ik even nodig. En nu jij. Hoe is het daar in de grote stad?'

Ik ben blij om het weer over gewone dingen te hebben. Alles wat ik thuis en tegen Tika verteld heb, vertel ik nu weer aan oma.

'...En ik dacht dat Thomas en ik perfectionistisch waren, maar vergeleken bij wat daar gebeurt, valt dat nog wel mee.'

Nu ik de naam Thomas genoemd heb, hoop ik dat oma niet meteen vraagt hoe het met hem gaat. Ik praat gauw door. 'Ik heb ontzettend veel nieuwe mensen leren kennen. En we hebben leuke docenten. Zo anders dan op het Noordzijcollege. Omdat ze zelf ook muziek maken, snappen ze je veel beter.'

'Ze weten hoe moeilijk het is.' Oma neemt een slok water uit het glas dat op het nachtkastje staat.

'En elke vrijdagmiddag is er BigBand. Dan spelen studenten van allerlei jaren met elkaar in de grote zaal, iedereen op zijn eigen instrument. Echt super is dat.'

'Wat fijn om te horen. En hoe is het gastgezin?'

'Leuk. Ze hebben een bad en ze koken speciaal voor mij vegetarisch. Marianne is heel aardig en Ben ook. En ze houden ook van muziek. Ben wil van alles weten over de opleiding en Marianne vindt het leuk als ik wat speel, ook al oefen ik meestal op school. En ze hebben allebei echt een goeie muzieksmaak. Ik heb al heel wat nieuwe muziek ontdekt en een paar saxofonisten van wie ik het bestaan nog niet kende.'

'En ik maar denken dat ik je alles al geleerd had.' Oma kijkt er treurig bij.

'Er zijn ook wel dingen anders daar.'

'Wat dan?'

'Ze eten gekke dingen. Van de week aten we paksoi, dat lijkt op andijvie. En 's avonds maken ze vaak popcorn of zo. En ik heb een tv op mijn kamer. Ze gaan heel vaak naar de film of naar een concert en ik ben veel alleen thuis. Vind ik wel fijn.'

Oma lacht. 'Dat heb je altijd gehad.'

'En donderdagmiddag zijn we de stad in geweest. Chocomel

gedronken met een paar lui uit de klas. Dat was erg gezellig.'
'En mis je Tika niet erg? En je ouders?'
'Mwoah,' zeg ik. 'Dat valt mee.'
Oma zet haar bril af en wrijft in haar ogen. 'Lieverd, ik vind het vervelend om te moeten zeggen, maar ik ben moe. Erg moe. Vind je het vervelend om nu naar huis te gaan?'
'Eh, nee, natuurlijk niet.' Ik voel me nogal een oen dat ik niet gezien heb dat oma zo moe is. Ik heb vast veel langer gekletst dan ze aankon.
Ik geef haar een kus en zwaai naar opa. Morgen om deze tijd zit ik weer in Rotterdam. Ik kan haast niet wachten tot het zover is.

31.

'Waar kom jij ook alweer vandaan, Sanne?' Hakim kijkt me met toegeknepen ogen aan.
Het is donderdagmiddag en we zitten in De Taveerne, dat is ons stamcafeetje aan het worden. 'Je hebt een accent dat ik niet kan thuisbrengen.'
Ik baal ervan dat ik meteen verlegen word. Volgens mij krijg ik zelfs een rood hoofd. Belachelijk.
'Uit Weerdveld. Een dorpje bij Groningen.'
'Echt? Nooit van gehoord. Maar aardrijkskunde is dan ook mijn slechtste vak. Waarom kom je helemaal hier op school?'
'Omdat er daar niet zo'n school als deze is.'
'Had je daar geen muziekles dan?'
'Juist wel, maar ik speelde alleen maar, en ik haalde erg slechte cijfers. Het leek erop dat ik zou blijven zitten, van school af moest, niet naar het conservatorium kon en voor eeuwig voor de muziek verloren was.'
'Eeuwig zonde zou dat zijn. En toen?'
'Toen hoorde ik van deze school en ik werd aangenomen.'

Hakim lacht. 'O ja? Ik heb me voor de grap aangemeld. Ik dacht: hoe meer muziek hoe beter, en tot mijn verbazing werd ik nog aangenomen ook. Hoe lang is het met de trein naar hier?'

'Ik doe er drie uur over, in totaal.'

'Zo hee! Heb je daar ook een band?' Hij wuift met zijn hand alsof ik aan de andere kant van de wereld woon. 'Een echte Groningse band?'

Hij probeert met een Gronings accent te praten, wat ik wel stom vind, maar om eerlijk te zijn kan hij alles tegen me zeggen zolang hij me met die zeegroene ogen aankijkt. Het lijkt wel of er nog een gouden randje om de iris zit, en dan die vrolijke donkerbruine krullen erboven... Als hij lacht, voelt het alsof ik van de hoge duikplank spring.

Dan herinner ik me dat hij iets vroeg.

'Ja, ik zit in een band. *Music from the Fridge.*'

'Wat een leuke naam! Wat voor band is dat?'

'We spelen een beetje jazzy-achtige rock. We hebben in december nog een optreden gehad in de Muziekhal.' Ik zeg het alsof het niks is, maar ik vind het nog steeds heel stoer.

Naomi duwt haar onderlip naar voren. 'Gaaf!'

'Meestal wel, ja.' Ik vertel van de perikelen van de laatste tijd. Weinig repeteren, veel gemopper en geruzie, Emma die al twee keer afgezegd heeft, en nog geen nieuw optreden in het vooruitzicht.

'Ach ja, bands. Ik zit in mijn' – Hakim telt op zijn vingers – 'achtste, nee, negende band. Steeds gezeur. Het hoort er gewoon bij. En waarom? Omdat muzikanten extreem eigenwijze mensen zijn.' Hij lacht en ik lach ook.

Ja, misschien moet ik het zo zien. MFTF is mijn eerste band, maar het zou naïef zijn om te denken dat het ook de enige band is waar ik ooit in zou zitten.

'Ik zit helemaal niet in een band,' zegt Naomi. 'Ik ben jaloers.'

'Beginnen wij er toch een,' zegt Hakim. 'Sanne is er net mee opgehouden en ik ben wel aan mijn tiende toe.'

Naomi grijnst. 'Yes, goed idee.'
We zitten een tijdje te brainstormen over een naam en wat voor muziek we gaan maken.

We nemen nog een Ice Tea en dan gaan we weg. Vandaag ga ik bij Naomi eten. Naomi is echt leuk. Ik weet niet wanneer je iemand een vriendin noemt, maar dit lijkt er wel op. Ze is grappig en altijd zo vrolijk. Ik weet dat je niet mag vergelijken, maar Tika is soms zo tobberig en moeilijk. De laatste keer dat ik haar zag, vorig weekeind, was ze zo stil en somber. Toch gaat het volgens mij weer redelijk goed bij Tika thuis. Ze heeft het er in elk geval niet zo vaak meer over en als ik ernaar vraag, zegt ze zoiets als: 'Ja, wel oké.'
Naomi en ik nemen de tram en we hebben een heel gezellige avond.

32.

Omdat ik nu door de week niet in Weerdveld ben, repeteren we met *Music from the Fridge* op zaterdagmiddag. Ik geloof dat dat nogal een verkeerd moment is voor Emma, die steeds knalchagrijnig binnenkomt. Ze zit liever in de stad, zegt ze. Ook Jamie was het er niet mee eens, want zaterdag is zijn vrije dag. Ik snap dat niet zo goed. Wat wil je dan op je vrije dag? De hele dag in bed blijven?
Na ons optreden op het Winterfestival is er helemaal niet veel spirit meer, net of we ons kruit verschoten hebben met dat ene goeie optreden. En het is ook geen onverdeeld genoegen om met Thomas in een ruimte te zijn, want sinds het uit is, doet hij nogal arrogant en vervelend tegen me. Heel gezellig en warm dus in de koelcel. Hij praat alleen tegen me als ik hem heel nadrukkelijk iets vraag. Weer dat gekrenkte ego, zei Tika. Ik vraag het me af. Soms lijkt het of hij juist wat verdrietig kijkt.

'Een, twee drie,' tikt Jamie af.

We zetten in. Ons nieuwe nummer waar we al een kwart eeuw aan werken: *Summer Love*. Jamie heeft veel geoefend op het intro, maar het gaat mis. We stoppen. Voor de zoveelste keer. Ik erger me rot. Het gaat allemaal zo traag. Ik weet niet wat het is. Het lijkt wel alsof we niet meer weten hoe het moet. We beginnen overnieuw. Een, twee, drie. Ik zet de sax aan m'n mond.

En nu mist Emma het begin.

'Wacht even.' Ze bladert door haar muziekmap. 'Waar zijn we ook alweer?'

Er komt iets uit m'n binnenste omhoog. Het loopt m'n mond uit zonder dat ik het tegen kan houden. 'Let toch eens op. Zo moeilijk is dat niet. Zet je mobiel uit en concentreer je op wat je aan het doen bent!'

Emma kijkt me aan met ogen die vuur spuwen. 'Hoor haar. Mevrouw zit ook een paar weekjes op haar muziekschooltje, hoor. Weet je het opeens zoveel beter?'

'Om eerlijk te zijn, denk ik dat wel, ja. Ik word gek van jouw gezeur.'

En dan valt het opeens helemaal stil. En dat is wat, voor vier muzikanten in één ruimte.

Ik kijk de andere kant op. Als ik nu dat stomme gezicht van Emma blijf zien, ga ik nog meer rottige dingen zeggen. In gedachten tel ik tot tien.

'Als je wilt zingen, zing dan.'

Emma kijkt boos. Ik voel dat mijn wangen knalrood worden.

'En als je iets anders wilt doen, stop er dan mee. Doe het goed of doe het niet. Dat halve gedoe, daar kan ik niet meer tegen.'

'Weet je wat het met jou is?' Emma slaat haar muziekmap dicht. 'Je neemt jezelf veel te serieus. Dit hele bandje is toch voor de lol? We doen het omdat we het zelf leuk vinden. Het is geen werk.'

'Geen werk? Voor jou niet, nee. Als je zo doorgaat, zul je altijd een amateur blijven.'

'Dat liever dan zo'n hyperserieuze toestand die jij ervan maakt.'

'Jongens,' zegt Thomas vermoeid.

'Hier heb ik geen zin meer in.' Emma stopt haar map in haar tas. 'Bekijk het maar. Gaan jullie maar fijn door met jullie muziekclubje. Veel succes met dat geploeter in dit vieze stinkhok met die muziek uit het jaar nul en dat stomme gezeur over elke noot.' Ze pakt haar tas en jas en verdwijnt. De deur gooit ze met een klap dicht.

Thomas en ik kijken elkaar aan.

'Dat zat er al een tijdje aan te komen.' Hij slaat een paar treurige akkoorden aan op zijn gitaar.

Jamie kijkt nogal moeilijk. 'Als Emma ermee ophoudt,' zegt hij aarzelend, 'dan kap ik er ook mee. Ik geloof dat wat jullie willen, mij net een stap te ver gaat. Ik red dat niet.'

Thomas wil wat zeggen, maar doet het niet.

'Bovendien' – Jamie pakt zijn stokken al in – 'ben ik gevraagd door een andere band, meer rock, veel drummen.'

Ook Jamie verlaat het oefenhok.

En zo valt onze band binnen tien minuten uit elkaar.

Thomas laat zich op de luie stoel vallen en ik ga op de tafel zitten.

'Daar zitten we dan,' zeg ik.

Hij zwijgt.

'Dan gaan we toch samen verder.' Ik hoop dat hij het grapje vat.

Thomas kijkt stug voor zich uit.

'Hoe is het met je?' vraag ik.

'Goed, hoor,' zegt hij kortaf.

Het is nooit stil in het oefenhok. Er is altijd muziek of gepraat, maar nu is het stil. Ik verbaas me erover dat je niets, maar dan ook echt niets van buitenaf hoort. Tja, wat nu? Zal ik ook maar m'n sax inpakken en weggaan?

'Eigenlijk,' zegt Thomas opeens, 'mis ik je.'

Nu is het mijn beurt om te zwijgen. Ik weet niet wat ik moet zeggen.

'Ik mis je echt.' Hij probeert zijn hand op m'n knie te leggen, maar ik doe mijn been opzij.

'Sorry,' zeg ik. 'Dat wil ik niet. 't Is echt voorbij.'

De woorden zijn zo gezegd. Maar ik vind het lastig. Thomas zit ermee. En ik ben degene die hem zou kunnen opfleuren. Tegelijk ben ik de allerlaatste die dat zou moeten doen.

Ik pak mijn koffer en fiets naar huis.

's Avonds ga ik kijken of Tika er is.

En die is er. Ze is heel stil.

We zitten beneden op de bank en de tv staat aan. Haar moeder is weg en haar vader zit op z'n werkkamer boven, achter de computer. Er is een of ander programma bezig over meiden die topmodel willen worden.

'Die ene vind ik mooi,' zeg ik. 'Prachtige ogen.'

'Hmm,' zegt Tika.

Volgens mij zit ze helemaal niet echt te kijken.

Van de week op msn wisten Tika en ik niet hoe snel we moesten typen. Nu zegt ze helemaal niks.

'Wat is er aan de hand? Zijn het je ouders?'

'Zoiets.' Duidelijk geval van geen zin om te praten.

'Wil je het erover hebben?'

'Nee. Laat me maar.'

Ik heb spijt dat ik op mijn vrije zaterdagavond naar haar toe gegaan ben. Tika is meestal vrolijk en opgewekt, maar als ze dat niet is, is ze meteen erg chagrijnig.

Ik vind het sneu voor haar, maar als ze niet wil praten, kan ik haar toch niet helpen?

Ik heb nog geen zin om naar huis te gaan. Maar om nu de hele avond te gaan zitten zwijgen op de bank, daar heb ik ook geen zin in.

'Ik ben niet in zo'n goed humeur, sorry.' Tika fluistert het bijna. 'Ik heb geen zin om te praten. Maar ik vind het fijn dat je er bent. Blijf je nog even?'

'Tuurlijk!' Meteen heb ik spijt dat ik spijt had dat ik hier was.

We kijken naar de tv waar de modellen in een bad vol modder op hun mooist moeten liggen wezen. Sjonge, ik zou best zo mooi willen zijn als een model, maar om zo diep te zinken en met je lijf in de smurrie te gaan liggen draaien? Zou niks voor mij zijn. Die meiden hebben er wel wat voor over om de top te bereiken, wat dat dan ook mag zijn. Zou ik dat ook doen als ik er beter door kon saxofoon spelen?

Reclame.

'Wil je wat drinken?' vraagt Tika.

Ze haalt twee glazen cola. De spotjes over shampoo, make-up en verjongingscrème vliegen over het scherm.

'Thomas zei dat hij me miste,' zeg ik.

'Echt?'

'Ja.'

'Wat zei jij?'

'Niks. Hij wou z'n hand op m'n knie leggen. Maar dat wou ik niet.'

'Ik dacht dat hij er wel overheen zou zijn.' Tika neemt een grote slok cola.

'Dat dacht ik ook.'

Tika's vader komt beneden. 'Waar heeft je moeder de krant van vandaag nu weer neergelegd?'

'Ik weet het niet,' zegt Tika. 'Ligt die niet op de keukentafel in het mandje?'

'Mmm,' bromt Tika's vader en hij pakt de krant uit het mandje.

'Kan die tv wat zachter?' vraagt hij en gaat zitten lezen.

We kijken weer naar de modellen. Gelukkig heeft het programma ondertiteling.

Als het afgelopen is, komt er nog een aflevering van *Friends*. En daarna moet ik echt naar huis.

'Dag,' zeg ik tegen Tika's vader, maar hij lijkt me niet te horen.

Tika staat op haar sokken in de deuropening terwijl ik mijn fiets van het slot haal. 'Bedankt,' zegt ze. 'En welterusten.'

We zwaaien naar elkaar en als ik de straat uit fiets, hoor ik dat Tika de deur heel zachtjes dichtdoet.

33.

'Kijk uit!' hoor ik opeens.

Nog net op tijd spring ik opzij voor een fietser. Ik moet nog steeds wennen aan de drukte in de stad. Ook al zit ik nu al zes weken, vijf dagen en een uur op de HVMD.

Rennen, daar komt de tram! Door de achterste deur van de tram spring ik naar binnen. Gered! Niemand kijkt naar me, want er lopen hier zo veel vreemde figuren rond, dat iemand als ik totaal niet opvalt. Wat ik wel gek vind, want ik voel me nog helemaal geen Rotterdammer.

Rotterdam is fantastisch! Ik ga met de tram of met Benno's fiets (waar ik net op pas) overal naar toe. Maar het liefst loop ik door de stad. Ze hebben hier een paar echt gave muziekwinkeltjes, met muziek van over de hele wereld. En veel livemuziek. Ik ben met Naomi al naar twee optredens geweest. En er is nog veel meer. Musea en winkels en leuke markten; ik kom tijd te kort om alles te ontdekken hier. Ook de school begint een beetje te wennen. Het wordt al bijna gewoon. Ik weet dat je bij Zegers van Engels altijd je huiswerk moet leren; want hij geeft heel veel beurten die meetellen voor je rapport en ik weet ook dat je bij Brugman van geschiedenis kunt lachen, als hij tenminste in een goed humeur is. De saxlessen van Hans zijn pittig. Hij is echt niet snel tevreden. Ik oefen elke dag minstens twee uur, een uur op school en een uur bij Ben en Marianne, en thuis in Weerdveld nog meer.

Ik trek vooral veel met Naomi op, dat is echt zo'n tof en vrolijk mens. En de rest van de klas is ook goed te doen. Hoewel ik mijn eigen klas soms best mis, ben ik veel sneller dan ik had gedacht gewend aan deze nieuwe klas. Het is ontzettend

117

leuk om zo veel nieuwe mensen te leren kennen. Binnen de kortste keren zijn we echt een klas geworden. Ik ben zelfs al op twee verjaardagen geweest, die van Naomi en die van Elisa.

Na een kort ritje in de tram stap ik weer uit, vlak voor de school. Het gele gebouw lijkt nog geler door de zon die erop schijnt. Vanmiddag weer Bigband. Daar heb ik heel veel zin in. Vooral omdat Hakim dan naast me zit. Die is aardig. En grappig. En hij kan echt goed spelen. Beter dan ik.
Maar ik moet me eerst nog door een paar taaie lessen geschiedenis en aardrijkskunde worstelen.
Aan het eind van de middag loop ik de grote zaal in. Er zitten al heel wat luitjes te blazen, slaan, pingelen, hummen, zingen en te kuchen. Allemaal door elkaar.
Wat ik erg grappig vind, is dat veel leerlingen zo bij hun instrument passen. Olivier, de drummer die altijd achter in de band zit, is een wat forse, verlegen jongen. Finn, de pianist, lijkt op Mozart, uit de film die ik ooit gezien heb, met zijn warrige haar en zijn snelle manier van bewegen. Wat zou die saxofoon over mij zeggen?
Ik ga vooraan zitten, waar de saxsectie zit. Uit mijn koffer haal ik een nieuw rietje en dat plaats ik in het mondstuk. Terwijl ik zit te prutsen komt Hakim naast me zitten. Ik krijg het er warm van.
'Hé, Sanne,' zegt hij.
'Hé, Hakim.'
'Mag ik een rietje van je?'
'Ja, tuurlijk!'
Hij pakt er een uit het doosje en als hij het doosje teruggeeft raakt hij per ongeluk mijn hand aan. Pats! Er schiet een schok door mijn hand. Het lijkt wel of hij statisch geladen is. Ik weet even niet waar ik moet kijken. Hakim ook niet, volgens mij, want hij gaat zo onhandig zitten klooien met zijn rietje dat het breekt.

'Sorry,' lacht hij. 'Ik koop een nieuw voor je. Morgen. Mag ik er nog een?'

'Tuurlijk.' Ik geef hem een rietje, maar nu zorg ik ervoor dat onze handen elkaar niet raken, want nog zo'n schok en ik ga licht geven.

Gelukkig heb ik niet veel tijd om erover na te denken, want de dirigent, Berthel, komt binnen en iedereen gaat zitten.

'Dames en heren,' roept hij, 'het is nog wat vroeg, maar we gaan beginnen met de repetities voor jullie allereerste uitvoering dit jaar, het kerstconcert.'

En ik krijg meteen een solo toegewezen. Dat is niet zo heel gek voor een altsax, maar ik voel me enorm vereerd. Ik pak meteen het stuk erbij dat ik moet gaan doen en ik speel het in mijn hoofd alvast een beetje. Dat wordt nog flink oefenen.

34.

Na de repetitie gaan we naar De Taveerne. We ploffen aan de tafel bij het raam en we nemen Ice Tea.

Naomi en Finn en Elisa praten over het komende concert. Het is een mooi, maar heel lastig stuk.

'Het eelt staat op m'n vingers.' Elisa kijkt naar haar handen. 'Nog nooit zo veel geoefend.'

'Anders ik wel!' zegt Naomi. 'Ik sla familieverpakkingen pepermunt in. En drop. Om m'n stembanden in de watten te leggen. Wil je er eentje?'

Ze houdt ons een zak muntdrop voor. Ik neem er eentje, heerlijk.

Waarom is Hakim er nog niet? Hij zou toch ook komen? Buiten loopt er van alles langs, maar ik zie geen vrolijk hoofd met krullen.

'Jongens,' zegt Naomi, 'ik vind Berthel erg streng, hoor. En mijn zangjuf heeft werkelijk op alles iets aan te merken als ik sta te zingen. Je zou bijna denken dat we niks kunnen.' Ze schiet in de lach.

'Dat heb ik ook,' zeg ik. 'Het lijkt wel of Hans er helemaal geen vertrouwen in heeft.'

Grappig dat Naomi erom lacht, terwijl ik van zoiets bijna in een dip schiet.

De deur gaat open en Hakim komt binnen. Mijn hersens werken meteen tien keer zo snel. Zit ik rechtop? Zit er geen vlek op mijn kleren? Stink ik niet ergens naar?

'Ha, luitjes,' roept hij vrolijk. 'Moest nog even slijmen bij Berthel, hoor, want ik wil ook zo graag een solo.' Hij knipoogt naar me.

Als hij naast me gaat zitten ruik ik het wasmiddel van zijn kleren, zo dichtbij zit hij en dat zijn knie even de mijne raakt, vind ik helemaal niet erg.

'Zijn ze tegen jou ook zo streng?' vraagt Naomi. 'Dat je denkt dat je er geen bal van kunt?'

Hakim krijgt meteen een rimpel tussen zijn ogen. 'Nou! Wat een ouwe mopperpot is die Hans, zeg. Als je hem laat praten wordt met terugwerkende kracht je toelatingsexamen ongedaan gemaakt. Daarom toeter ik altijd maar zo hard mogelijk door zijn commentaar heen.'

'Waarschijnlijk doet Hans zo omdat hij in ons allemaal concurrenten ziet,' zeg ik.

Hakim en Naomi lachen.

'Bij mij is hij ook zo streng,' zeg ik. 'Sjonge, ik dacht echt dat ik er niks van kon.'

'Niks van aantrekken.' Hakim lacht. 'Je gaat niet voor niets een solo doen.'

We praten nog even over de lessen; iedereen vindt het zwaar.

Ik durf het Hakim eindelijk te vragen: 'Heb ik jou nou op de open dag gezien?' Ik weet zeker dat hij het was, maar ik ga natuurlijk niet meteen zijn ego zitten strelen. Straks denkt hij nog dat hij meteen indruk op me maakte.

Hakim krabt op zijn hoofd. 'Dat kan heel goed.'

Ik had natuurlijk gehoopt dat hij zou zeggen: 'Was jij dat leuke meisje dat zo stralend zat te kijken?' Hoewel... Als hij dat echt had gezegd, was ik waarschijnlijk verdampt van verlegenheid.

'En waar kom jij eigenlijk vandaan?' vraag ik. We zijn nu toch bezig. Ik wou dat al eerder vragen, maar om de een of andere reden leek het steeds een hele stomme vraag.

'Uit de Bleekerstraat.' Hij grijnst. 'Maar dat bedoel je vast niet. Ik ben in Marokko geboren.'

'Marokko! Daar ben ik geweest met mijn vriendin Tika! Wat een prachtig land is dat. Weet je er nog veel van?'

'Nee joh, ik had nog een luier om toen ik hier kwam.'

'Zou je wel eens terug willen, om te kijken hoe het daar is?'

'O jawel, hoor. Lekker op vakantie. Het is daar in elk geval vaker mooi weer.'

'En doen je ouders ook iets met muziek?'

Hakim schudt zijn hoofd zo wild dat zijn krullen heen en weer dansen. 'M'n moeder stampt zelfs de hutspot uit de maat.'

'Hutspot? Maakt ze dat?'

'Ja, ze is gek op de Nederlandse keuken. Ben ik ook trouwens. Van wie heb jij je muziek geërfd?'

'Van m'n oma,' zeg ik. 'Mijn ouders snappen er weinig van.'

'O, dat is bij mij ook zo,' zegt Naomi. 'Die zouden veel liever hebben dat ik iets nuttigs deed. En jij, Elisa?'

'Mijn ouders zijn allebei muzikant.' Ze lacht een beetje ongemakkelijk. 'Ze vonden het geweldig dat ik naar deze school ging. Ze juichten nog harder dan ik toen ik aangenomen werd.'

'Wat deed jouw oma met muziek?' vraagt Hakim aan me.

Dat vind ik altijd leuk om te vertellen, want ik ben er best een beetje trots op. Ik zou opeens zó graag willen dat m'n oma me hier kon zien zitten, tussen mijn nieuwe vrienden, pratend over muziek.

35.

'Heb je wel geoefend?' vraagt Hans. Zijn grijze haar zit warrig.
Grrr! Ik heb de hele week elke dag een paar uur gespeeld.
Ik had er zere vingers van. Maar – en dat heeft hij goed
gehoord – het ging voor geen meter.
'Wat je doet, gaat best goed. Maar je moet juist oefenen wat
niet goed gaat.'
'Dat heb ik gedaan,' zeg ik, een stuk zachter dan ik zou willen.
'Ik wil het nog eens horen. Probeer er niet te veel bij na te
denken. Laat het gewoon gaan. Niet te veel je best doen.'
Het stuk komt zo ongeveer m'n neus uit intussen. En nou
moet ik ook nog m'n best doen om níet m'n best te doen? Ik
speel het voor de honderdste keer. De keren dat ik er thuis op
geoefend heb niet eens meegerekend.
'Stop eens,' zegt Hans.
Ik laat de sax weer om mijn nek hangen. Is het nog niet goed?
denk ik.
Hans bladert terug in de muziek. 'Kijk, hier. Je speelt keurig
de noten, maar het moet...' Hij maakt een gebaar alsof hij iets
uit zijn buik haalt. 'Meer vanuit jezelf. Je moet het ingetogener
spelen. Rustiger, maar niet langzamer. Je speelt het nu alsof
het een klusje is dat je nu eenmaal moet doen.'
Ik snap er niets van. Wat wil hij toch? Rustiger, maar niet langzamer? Wiskunde is nog makkelijker!
Hans schrijft *Habib Koite* op een papiertje.
'Luister hier naar. Echt luisteren. Dan begrijp je misschien
wat ik bedoel. Luister naar hóe het gespeeld wordt. Van binnenuit.' Hans kijkt op z'n horloge. ''t Is nu tijd. Voor de volgende keer speel je dit van binnenuit én uit je hoofd. Dat je dit
nog steeds van papier leest, is ook niet goed. Pas als je muziek
uit je hoofd kent, kan het van binnenuit komen.'
Terwijl Hans iets in zijn agenda opschrijft, stop ik mijn sax in
de koffer en verlaat het lokaal. Het is rustig in het gebouw.
Ergens in een zaal hoor ik muziek.

Ik heb behoorlijk de smoor in deze les. En het was niet de eerste keer dat het zo ging. Zo'n lastig stuk na twee lessen al uit je hoofd spelen! Bij Anoek kon ik daar veel langer over doen. Ik moet er echt aan wennen dat ik niet meer vanzelfsprekend alles goed doe. Dat ik opeens niet meer de enige van de klas ben die goed is in muziek. Op het Noordzijcollege was ik 'dat meisje dat zo goed sax kan spelen', maar dat zegt hier natuurlijk niks. Het is zelfs de vraag of ik zo goed ben, want er zijn er nog een paar die sax spelen en die zijn écht goed. Zouden die ook zo door de mangel gehaald worden door Hans?

Bij de zaal waar ik de muziek hoor, blijf ik even staan luisteren. Dit klinkt echt goed. Dat zijn vast ouderejaars conservatoriumstudenten. Ze spelen een stuk dat wij aan het eind van het jaar ook instuderen, heb ik gezien. Ik kan me niet voorstellen dat ik ooit dit niveau zal halen. Als ze klaar zijn, neem ik meteen de trap naar beneden, voordat ze me zien.

Het is behoorlijk fris buiten en het regent een beetje. Ik heb wel zin in een lange wandeling, ik ga lopen naar de Binnenstraat. Ergens in een huis zie ik al kerstverlichting hangen.

'Je moet nog veel leren,' heeft Hans gezegd. Ja, vind je het gek? Ik zit niet voor niets op deze school. Om het te leren, nietwaar?

Het lijkt erop dat hij weinig vertrouwen heeft in mijn talent. Nog nooit heeft hij gezegd dat ik het goed doe. Nou, misschien heeft hij dat wel eens gezegd, maar er komt altijd een 'maar' achteraan. Goed gespeeld, maar het moet vlotter, ingetogener, meer dit of dat. Wat wil je nou? Doe ik het goed of niet?

Ik schop tegen een steentje dat in een put verdwijnt. Of zou het zo zijn – ik durf de gedachte bijna niet af te maken... Zou het kunnen zijn dat ik het gewoon niet kan? Niet écht? Dat ik alleen maar heel goed kan doen alsof? Tot nu toe? En dat ik nu door de mand aan het vallen ben? Misschien heb ik mijn grens bereikt. Beter dan dit zal ik dan nooit worden en dat is niet goed genoeg.

De saxkoffer hangt zwaar aan mijn schouder en ik hang hem aan de andere kant. Het is een aardig eind lopen. En die miezerige regen helpt ook niet echt om me beter te voelen.

Van de andere kant komt een stelletje aanlopen. Hij is véél langer dan zij en hij moet zich echt bukken om haar een kus te geven, wat hij expres doet als ze vlak bij mij lopen.

'Hé, Brian,' roept een meisje vanaf de andere kant van de straat. Voor me loopt een jongen met een grote bos rastahaar.

'Hé, lief,' roept hij. Tussen de auto's door rent hij naar de overkant en ze vliegen elkaar om de nek. De vonken spatten er vanaf.

Zou Thomas nog wel eens aan me denken? Vast niet. Ik heb nooit meer wat van hem gehoord na die laatste keer. Zou Hakim wel eens aan mij denken? Zal ik hem eens een sms'je sturen, zomaar voor de lol?

Al lopende typ ik een sms: *'Was Hans bij jou ook zo chaggie?' grtz Sanne'*. De hele Admiraal de Ruyterweg twijfel ik of ik er een x'je bij zal zetten of niet. Bij het kruispunt besluit ik van niet. Nog een straat verder wis ik de hele sms.

Het gaat harder regenen. Wat zou ik graag willen dat ik nu thuis was. Even naar Tika. Even op de bank liggen, even kletsen met m'n moeder die in de keuken iets aan het maken is wat heel lekker ruikt en mijn vader die fluitend thuiskomt. Even geen school, geen moeilijke stukken spelen, voor mijn part een paar hoofdstukken wiskunde.

Als ik in de Binnenstraat kom, plenst de regen met bakken uit de hemel. Ik steek de sleutel in het slot en schud de regendruppels van me af op de trap. Er is niemand thuis, wat ik wel prettig vind. Ik ben hier vaak alleen. Marianne werkt in de zorg en werkt de ene keer overdag en de andere keer 's avonds of 's nachts. Iedereen is druk met van alles.

Uit de koelkast haal ik een pak fris en ik schenk een glas vol. Dat mag hier elke dag, thuis alleen in het weekeind. En ze hebben hier altijd van die knapperige koeken, die we thuis nooit hebben. Ik pak er stiekem twee. Dan loop ik naar boven. Het is best een fijn huis, hoewel je de buren goed kunt horen. Links hebben ze soms de muziek hard aan staan en de onderburen hebben af en toe een feestje tot diep in de nacht. Benno's kamer is een rommel. Overal liggen boeken, kleren, lege koffiekopjes, schriften, pennen en cd's en een buikspierapparaat, dat er nogal stoffig uit ziet. Ik zet de laptop aan. Hoewel Benno me op het hart gedrukt heeft dat ik altijd, altijd, altijd op zijn laptop mag als hij er niet is, lijkt het toch een beetje raar om zomaar achter iemands bureau te gaan zitten.

Ik heb drie mailtjes. Eentje van m'n vader met een foto van een prachtige avondlucht boven onze boerderij. Wauw, wat mooi! Ik kijk wat beter naar de foto. Sjonge, het lijkt wel gephotoshopt. Wat een mooie kleuren. Ik probeer me voor te stellen dat ik niet naar een foto, maar naar de echte lucht boven ons huis zit te kijken. Ik ruik de frisse lucht en ik hoor de tractors en ik voel de wind op m'n wangen.

Opeens is het of ik vanaf het plafond naar mezelf zit te kijken. Ik zie een meisje achter een laptop, ik zoom steeds verder uit. Net of ik op Google Earth kijk en in Rotterdam in een vreemde kamer een meisje zie zitten, in een vreemd huis en in een vreemde stad. Ze kijkt naar een foto die aan de andere kant van het land is gemaakt, daar waar haar vader vanuit een heel klein boerderijtje een mailtje heeft verstuurd.

Buiten toetert een auto keihard en van schrik ben ik meteen weer op Benno's kamer m'n mail aan het lezen.

'Lieve Sanne,' schrijft m'n vader. 'Vanavond stond ik buiten en toen zag ik dit. We missen je wel, hoor. Maar verder gaat alles goed. Vanavond eten we voor het eerst boontjes uit de tuin, mama is helemaal trots. Tot vrijdag, veel liefs van papa.'

Ik kijk naar de datum, gisteren verstuurd. Gisteren hebben ze dus boontjes gegeten uit eigen tuin. Dat is iets waar mijn moeder zo van kan genieten. Helemaal zélf gekweekt, zonder bestrijdingsmiddelen.

Verder een mailtje van het saxforum waar ik lid van ben, met aankondigingen van optredens en zo, en een mailtje van Tika. Een vrolijk kletsmailtje vol geklaag over de leraren en Sarah, en Thijs die notabene vlak langs haar heen liep en nog niet eens naar haar kéék. Mijn ogen vliegen langs de regels en Tika kan zo goed schrijven dat ik alles voor me zie. Net of ik er een beetje bij ben.

Jammer genoeg is Tika niet online. Ik schrijf een mailtje terug, over de rotles van vandaag, over mijn solo tijdens het kerstconcert, over de nieuwe klas, over De Taveerne en over Hakim.

Ik kijk nog één keer naar de foto die m'n pa me gestuurd heeft en sluit de computer af. Er zit een huilbui in m'n binnenste. Ik weet niet waar die vandaan komt en ik heb ook geen zin om daarover na te denken. Maar ik raak 'm ook niet kwijt.

36.

Ik sta voor het raam in m'n kamer met de telefoon aan m'n oor en ik wacht tot er iemand opneemt.

'Met Cor.'

'Hoi pap, met mij.'

'Hé, lieverd! Hoe gaat het?'

Die vraag slaan we maar even over.

'Wat zijn jullie aan het doen?'

'Mam is net terug van haar werk. Wacht, ik schenk koffie in, 't is net doorgelopen.'

Ik hoor keukengeluiden en het gepruttel van het koffiezetapparaat.

'En wat doet mama nu dan?'

'Ze is de boodschappen aan het uitpakken.'

'En jij? Wat was jij aan het doen toen ik belde?'

'O, ik was aan het werk.'

'Wat deed je dan?'

'Ik was opstellen aan het nakijken.' Ik houd de telefoon aan mijn andere oor.

'En? Goed gedaan?'

'De meesten wel aardig,' zegt mijn vader en ik hoor dat hij lacht. Vast omdat ik daar nu opeens naar vraag terwijl het me normaal niks interesseert. 'Maar er zitten er een paar bij... m'n rode pen raakt ervan leeg.'

'Wat ga je daarna doen?'

Aan de overkant bij de buren wordt de post bezorgd. De buurman springt meteen op uit zijn stoel en loopt naar de voordeur.

'Straks naar de schilderclub. Altijd op dinsdag.'

'Heb je binnenkort weer eens een expositie?'

'Volgens mij in februari weer.'

'Waar is Hugo?'

'Geen idee. Die is met vrienden weg.'

De postbode gooit een paar huizen verder een brief in een bus, die binnen meteen wordt gegrepen door een wit hondje.

'Hoe gaat het met opa en oma?'

'Volgens mij wel goed. Ik ben er eergisteren nog geweest en je krijgt de hartelijke groeten.'

'En is de boerenkool al van het land?'

'Nee joh, 't is nog geen nacht onder nul geweest.'

'O nee.'

De overbuurman scheurt midden in de kamer een blauwe envelop open en haalt de brief tevoorschijn.

'Waarom wil je dat allemaal zo precies weten?'

'Dat vind ik leuk,' zeg ik.

De overbuurman verfrommelt de brief en gooit hem in een hoek.

'Wat was jij aan het doen?'

'Ik ben net terug uit school. Saxles gehad.'

'Ging het goed?'

'Ach, het ging.'

'Het ging?'

'Nou, eigenlijk ging het helemaal niet.'

'O nee?'

'Nee. Soms denk ik dat ik het toch niet kan. Dat ze zich vergist hebben met het toelatingsexamen.' Ik lach om wat ik zeg om het niet al te serieus te laten klinken.

'Praat er toch eens over met je mentor,' zegt pap. 'Wel doen, hoor. Daar is ze voor.'

Tja, dat heb ik ook wel eens bedacht, maar als ik Beatrijs vertel over mijn twijfels, zal ze alleen maar denken dat ik toch geen echte muzikant ben.

'Misschien,' zeg ik.

Aan de overkant staat de buurman nu met een boos gezicht te bellen. Hij loopt door de kamer heen en weer, met de gladgestreken brief in zijn hand.

'Wat eten jullie vanavond?'

'O, eh, volgens mij heb ik mam met een pak lasagne gezien. En cherrytomaatjes uit de kas.'

'Zijn die al rijp dan?'

We praten nog een tijdje door over niks.

Als ik de telefoon uitzet, laat ik me op bed vallen.

Ik wou dat ik nu naar mijn oma toe kon, even samen zijn. Ik denk aan het witte huis achter de perenbomen. Tot mijn spijt moet ik bekennen dat ik daar al een tijd niet geweest ben.

Alles wat ik normaal in een week deed, moet nu opeens in twee dagen.

De hele avond luister ik naar *Habib Koite*. Ik heb een cd geleend bij de bieb en die op mijn mp3-speler gezet.

Het is Afrikaanse muziek, met een gitaar en trommels. Zodra ik de eerste tonen hoor, zit ik meteen in een andere wereld. Ik zie grote kampvuren voor me en droge savannes en eeuwenoude volken die midden in de natuur leven. Het is of er een prachtig verhaal in een oude taal aan me verteld wordt. En toch begrijp ik het. Van binnenuit.

37.

Na Engels loop ik de oefenzaal in om alvast wat te spelen. Straks, om half vier, begint de repetitie voor de oudejaarsuitvoering, en ik wil nog even een lastig riedeltje doornemen. De repetities waren voor mij de geweldigste uren van de week. Dan kon ik even alles vergeten. Maar nu is er Hans. Hij drijft me tot het uiterste met z'n gepush.

Ik heb in een paar maanden nooit zo veel geoefend, gespeeld, gescholden en gemopperd, en nooit zo veel geleerd, dat is waar. Maar het gedachteloos van me af spelen en helemaal opgaan in wat ik speel, dat lukt me al een tijdje niet meer. Steeds hoor ik Hans: 'Zachter, harder, rustiger, denk aan je timing, je ritme, je kracht.' Zelfs de stukken waar ik een paar maanden geleden nog enorm van genoot, speel ik nu niet meer voor m'n plezier, omdat ik zelf hoor dat het beter kan.

Om eerlijk te zijn is er een andere reden waarom ik graag repeteer. En die reden heeft zeegroene ogen.

Als we in dezelfde ruimte zijn, lijken we met een elektrisch lijntje verbonden te zijn. Het verbaast me echt dat niemand er nog wat van gezegd heeft.

Er is nog niemand in de zaal, het is nog donker. Net als ik mijn hand beweeg naar het lichtknopje, knettert er een saxofoon door de lucht. Het geluid, bedoel ik.

Ik schrik ervan, maar in dezelfde seconde herken ik de toon. Het is Hakim. Ik blijf staan en luister. Hakim staat aan de andere kant van de zaal en hij speelt een melodie die ik niet ken. Het is langzaam, maar niet heel zacht en ik word er meteen wat treurig van. Het klinkt erg intiem, zo anders dan wat ik van hem ken. Verdrietig, eenzaam, op een mooie manier. Ik heb het gevoel dat ik dit niet zou moeten horen. Maar als ik nu wegga, zul je zien dat hij deze keer de deur wel hoort opengaan en dan weet hij alsnog dat ik hier stond. Bovendien wil ik blijven luisteren. Zijn muziek klinkt zo echt, zo recht uit het hart. Ik hoor ook dat ik dit nooit zou kunnen. Anders misschien, maar dit niet. Dit is Hakim!

'Stond je daar allang?'

Ik schrik. Ik had niet gemerkt dat hij opgehouden was.

'Ik eh...'

Hij lacht en zet de sax tegen zijn mond. Dan begint hij te spelen terwijl hij me aankijkt. Doe mee, lijkt hij te willen zeggen.

Daar zeg ik natuurlijk geen nee tegen.

We gaan tegenover elkaar staan en Hakim begint met spelen. Hij speelt een riedeltje dat ik vaag herken van iets wat ik ooit bij Anoek speelde.

Met mijn ogen dicht concentreer ik me op wat hij speelt, welke kant het opgaat, en met een mooi tegenakkoord begin ik ook te spelen.

Hakims ogen glimmen.

Dit is zoveel beter dan met Thomas. We voelen elkaar nog beter aan en samen te zijn met iemand als Hakim, die zo goed speelt, maakt me ontzettend blij en trots. Saxofonistenzielen lijken veel meer op elkaar dan die van een saxofonist en een gitarist. Ik snap meteen wat hij bedoelt als hij speelt en soms volg ik hem en soms begin ik wat te spelen en volgt hij mij. Hij kijkt me bijna onafgebroken aan en ik kijk recht in z'n ziel. Wat hoop ik dat de anderen nog een tijd wegblijven! Ons hart klopt in hetzelfde ritme, ik weet het zeker. Zo goed heb ik nog nooit gespeeld. Hakim en ik, dat bruist en suist en knalt. Wij horen bij elkaar. We spelen en spelen en gaan helemaal op in het geluid. Wij tweeën, wij gaan later samen muziek maken. Misschien gaan we in een oud huis wonen in Rotterdam, of op een boerderij in Groningen. Of we gaan samen reizen, de hele wereld over in een oude auto of een huifkar, naar Parijs, Rome, Sydney, Afrika. En dan gaan we muziek maken op de straathoeken, en van het geld dat we verdienen 's avonds eten in eethuisjes of zelf ons potje koken bij een vuurtje van hout dat we bij elkaar gesprokkeld hebben. En als we later kinderen krijgen, dan doen die gewoon met ons mee. Je hebt toch ook zo'n familie met wel acht kinderen of zo die allemaal muziek maken? Die gaan ook de hele wereld over. Net iets voor ons.

Hakim knijpt z'n ogen bijna dicht terwijl hij me aankijkt, ik zie nog net twee lichtjes. Het kan niet anders dan dat hij hetzelfde denkt.

Het lijkt of de school om ons heen verdampt, alsof iedereen van de wereld afglijdt en er niemand meer is behalve wij twee.

Dan haalt Hakim uit met zijn sax. Hij speelt alsof hij iets heel belangrijks wil zeggen, zijn hoofd wordt rood, hij doet z'n ogen dicht en zijn vingers rennen over de knoppen. Ik laat mijn eigen sax hangen en krijg kippenvel van m'n kruin tot aan m'n stuitje. De melodie vliegt zoals een vogel door de lucht vliegt, licht en makkelijk en van hoog naar laag. En dan klinkt het alsof er iemand huilt, of schreeuwt, boos is, of heel graag iets wil vertellen en over zijn eigen woorden struikelt. En dan is daar dat vogeltje weer, dat hup, hup, van tak naar tak springt en in een grote sierlijke boog verdwijnt achter de horizon. Hakims ogen zijn nog altijd gesloten. Ik hou opeens ontzettend veel van hem, of klinkt dat erg raar?

Met twee krakende uithalen eindigt hij zijn supersolo. Het duurt even voor hij zijn ogen weer opent.

Ik kan alleen 'poeh' zeggen.

Hij kijkt me aan alsof hij heel ver weg is geweest.

'Best goed, hè,' grijnst hij.

Ik zou 'm willen zoenen! Echt, als ik het zou durven, had ik het gedaan.

'Muziek is de blikopener van je ziel.' Het schiet me zomaar te binnen en verbaasd merk ik dat ik het hardop heb gezegd.

'Wat zeg je nou?' Hakim maakt het mondstuk schoon.

'Heb ik van m'n oma.'

Voor het eerst denk ik dat ik weet wat ze daarmee bedoelt. Zó goed en zó dicht bij mezelf heb ik nog nooit gespeeld. Zonder Hans. Maar heel dicht bij iemand anders.

Wat geeft het een enorme kick om iets te doen wat je eerder nog niet kon.

Heel erg jammer genoeg gaat de deur open en komt de rest binnen.

Binnen de kortste keren zitten de anderen ook binnen en is het een kakofonie van instrumenten die gestemd moeten worden en mensen die wat aan een ander willen laten horen. Hakim lacht even haast onmerkbaar naar me terwijl hij zijn sax wegzet.

Dat lijntje tussen Hakim en mij, dat is mooier dan ooit.

38.

Het leven is fantastisch! Hoewel het koud is en de zon nergens te bekennen, voelt het alsof de lente in de lucht zit. Huppelend spring ik de tram uit. Rotterdam, *here I come.*

Dit is nu precies waar ik van droomde toen ik me aanmeldde voor deze school. De tenen onder m'n lijf vandaan te spelen, met de leukste jongen van school, daarna de hele middag repeteren met de beste bigband aller tijden en twee solo's van mij die, in elk geval vanmiddag, helemaal goed gingen. Muziek maken is het mooiste wat er is. Ik weet het weer. Als ik het lef had, zou ik hier, midden op straat, mijn sax pakken en gaan spelen, voor al die mensen die hier langslopen. Het lukt me niet om niet te grijnzen en zodra ik binnen ben, begin ik te zingen.

'*Music is my love, music is the rythm of my heart, my life, my looooove!*'

'Hé!' zegt Benno. Hij staat in de keuken een sinaasappel te pellen.

Oeps. Ik dacht dat ik alleen thuis zou zijn. Maar mijn humeur is niet kapot te krijgen vandaag en ik galm gewoon door.

'You make my life so beautiful, you turned my grey into all the colors of the rainbow. Music is my love, my only love.'

Benno applaudiseert.

Ik maak een diepe buiging. 'Dank u,' zeg ik. 'Handtekeningen na afloop van het optreden.'

'Haha!' zegt Benno. 'Jij hebt vast een heel leuke dag gehad.'

Ik knik en spring de trap op met vier treden tegelijk.

Gelukkig gaat Benno sporten en kan ik op zijn laptop. En nog veel gelukkiger: Tika is online. De enige die dit soort dingen begrijpt. Zonder te lachen, zonder het beter te weten.

'Hoe gaat het?' typ ik, in de hoop dat ze het ook meteen aan mij vraagt, zodat ik mijn geweldige middag kwijt kan.

In het scherm verschijnt een donderwolkje waar bliksem uitkomt.

'Echt slecht. Het is nu definitief. Mijn ouders gaan uit elkaar.'

Mijn handen blijven boven het toetsenbord hangen. Dat had ik niet verwacht. Tenminste, niet nu.

Ik weet echt niet wat ik moet typen. Ik moet ook niet typen. Ik moet bellen. Het zal wel een lang gesprek worden.

Ik pak de telefoon van Bens werkkamer, bel Tika's nummer en ga weer achter de laptop zitten terwijl de telefoon overgaat.

'Wacht even,' typt Tika. *'De telefoon gaat.'*

'Ik wacht even,' typ ik.

'Met Tika,' hoor ik Tika zeggen.

'Met Sanne.'

'Huh?' Dan lacht ze. Even.

'Wat is dat nou, joh?' vraag ik.

'Tja.' En meteen begint ze te huilen.

Met horten en stoten komt het hele verhaal eruit. Ik weet niet wat ik hoor. Ruzies, slaande deuren, huilende moeder, een vader die al een aantal weken in een hotel woont. En dan op een avond Het Gesprek: we gaan uit elkaar.

'Ik ga voorlopig met mijn moeder in een vakantiehuisje wonen.

Ons huis komt te koop.'

De knoop in mijn maag wordt groter en groter. Mijn hele fijne middag glijdt op de grond als een sjaal van mijn nek. Ik wil maar één ding en dat is naar Tika toe. Mijn arm om haar heen slaan. Waarom heb ik niets gemerkt? Waarom heb ik niet wat meer doorgevraagd? Ze was stil, ja, dat heb ik natuurlijk wel gemerkt. Maar ik dacht alleen aan mijn eigen nieuwe, leuke leventje. De spijt staat me meteen tot aan mijn lippen.

'Waarom heb je niks gezegd,' breng ik uit. *Waarom heb je niks gevraagd,* echoot het terug. Maar dat ben ik zelf. Tika huilt alleen maar, ze zegt niks. Dat is nou weer zo aardig van haar. Waardoor ik me nog schuldiger voel.

'Ik weet het niet,' snift ze. 'Ik durfde het niet te zeggen. Zo gek, ik dacht: wanneer ik het hardop tegen iemand zeg, dan is het echt waar. En dat wil ik niet. En je was zo vol van je nieuwe leven en ik wou je plezier niet bederven.'

Welja. Wrijf het er maar in. Maar 't is wel waar. Ik wou nu toch ook msn'en om over mijn supermiddag te praten? En niet om te vragen hoe het met haar gaat.

'Ik wou dat ik bij je kon zijn.' Ik zet de telefoon tegen mijn andere oor. 'Dan kon ik mijn arm om je heen slaan. Nu zit ik met dat plastic geval tegen mijn oor.'

'Je bent toch ook bij me.' Ze snuit haar neus. 'Een soort van.'

'Kom je binnenkort langs?' Dat was er tot nu toe nog niet van gekomen. 'Gaan we fijn een dagje Rotterdam doen.'

'Pfff,' snift Tika. 'Daar staat m'n hoofd echt niet naar, hoor.'

'Precies. Daarom.'

39.

Het is twee weken later. Tegenover me in de tram zit een man met een plastic tas op schoot, die hij angstvallig vasthoudt.

Daarnaast zitten een jongen en een meisje hand in hand verliefd naar elkaar te staren. Achter me zitten twee meiden samen naar een mp3-speler te luisteren en mee te zingen. En ik zie een oude vrouw die zo krom zit dat ze bijna achter het tramstoeltje verdwijnt. Een jongen met een gebreide muts op gaapt.

Niemand ziet mij.

Ik kijk uit het raam. Winkeltjes schieten voorbij, mannen die staan te praten op de stoep, kinderen rennen en er zit een hondje te poepen vlak voor een winkeldeur.

Niemand kijkt. Niet naar het hondje, niet naar mij, niet naar elkaar.

Hallo! denk ik zo hard mogelijk. Zien jullie niks aan mij?

Dan gaat mijn mobiel. Pap.

'Lieverd, gefeliciteerd met je verjaardag.'

Dit is lastig, mijn vaders stem horen terwijl ik zo ver van hem vandaan ben. En ontzettend jarig. Ook mijn moeders opgewekte stem maakt me verdrietig. Ik wil nu in onze boerderij zijn, zoals vroeger, kadootjes krijgen voor ik naar school ga, mijn ouders zingend in pyjama in de keuken, warme croissantjes uit de oven.

In plaats daarvan kreeg ik vanmorgen een hand van Ben, een kus van Marianne en twee zwaaien van de broers. En een sms van Tika: *'Olé! Weer een jaar erbij. Dikke X en tot zaterdag!'*

Gelukkig stapt Elisa in de tram en ze begint meteen te praten, zodat ik het donkere gevoel even kan wegdrukken.

'O, je bent járig, ik was het helemaal vergeten,' roept ze als we de tram uit springen.

Als we op school komen, vliegt Naomi me in de gang om mijn nek en Hakim komt naar me toe en geeft me drie kussen op mijn wang – hij ruikt naar thee en tandpasta. En daarna kijkt hij me aan, terwijl hij mijn hand nog vasthoudt, en zegt met een plechtige stem: 'Gefeliciteerd. Een jaar langer op de aarde, een jaar meer ervaring, een jaar beter en een jaar mooier. Het wordt alleen maar meer.'

Dan grijnst hij weer. Het woord 'mooier' staat de rest van de dag in mijn hersens gekerfd.

40.

'Veel plezier vanavond, dames.' Ben haakt zijn arm in die van Marianne. 'Wij gaan uit eten. Eindelijk weer eens een flink stuk vlees,' knipoogt hij.

Naomi staat stokbrood te snijden en sinaasappels te pellen en er ligt ook nog een verse ananas die we moeten schillen. Ondertussen gooi ik stukjes chocolade in een pan. We gaan chocoladefonduen, lekker. Hakim en Elisa komen ook.

'Dahaag,' zegt Marianne. 'We zijn rond half één thuis.' En weg zijn ze.

'Leuke lui.' Naomi doopt een stukje appel in de pan en steekt het in haar mond. Ze heeft allemaal kleine vlechtjes in haar haar gemaakt met fleurige kraaltjes.

'Heerlijk!' Ze geeft mij ook een stuk appel met chocola. 'Lijkt me wel gek om op je eigen verjaardag je ouders niet te zien.'

'Vind ik ook.' Ik denk er niet te veel over na. Uiteindelijk is het een dag als alle andere. Toch? Ik stop een cd in de speler.

'Wat is dit nou weer voor muziek?' vraagt Naomi. 'Swingt best wel.'

'*The Lemon Tea Bags*. Van Victor gekregen voor m'n verjaardag. "Hoor je ook eens een beetje fatsoenlijke muziek," zei hij. "Jazz is zo bejaard." Ik had er nog nooit van gehoord. Jij?'

Naomi schudt haar hoofd. 'Het is zo ongeveer het tegenovergestelde van jazz, maar ik vind het toch best leuk.'

Ik zet het geluid iets harder.

Hakim en Elisa bellen aan als het eten net klaar is. Ze ruiken fris naar buitenlucht.

'Jonkvrouwe Van Lente,' zegt Hakim, 'gij mooie dame, u bent in de Lente van uw leven.' Hij gaat door de knieën en kust mijn hand.

Ik kan er niks aan doen, ik moet er vreselijk om lachen.

'U lacht mij toch niet uit?' vraagt hij met een diepe frons. Hij heeft een zelfgebakken cake meegenomen, een ronde cake met een gat in het midden. Eerst begrijp ik het niet, maar dan zie ik het. Het is Groningse Poffert.

'Speciaal voor jou gemaakt,' grijnst hij. 'Receptje van internet geplukt. Ik dacht: je zult vandaag vast wel heimwee hebben.'

Van binnen voelt het alsof ik warme chocomelk met slagroom gedronken heb. Wat lief. Wat mega, megalief. Ik grijp mijn kans en geef hem een dikke zoen. Voor het eerst lijkt Hakim een beetje verlegen.

Uiteraard snijden we meteen vier stukken af. De cake smaakt droog, er zit te veel suiker in en de krenten waren vast over de datum, maar het is de lekkerste cake die ik in mijn hele leven geproefd heb.

Daarna gaan we aan de grote tafel voor de fondue. Naomi heeft overal kaarsjes aangestoken en ik heb de mooiste cd van *Room Eleven* opgezet. Gekregen van Naomi. Als je van muziek houdt, weet iedereen altijd een kado voor je.

'Heerlijk!' Hakim dipt een abrikoos in de fondue. Als hij nog een keer wil dippen, valt de abrikoos in de chocola.

'Wie iets in de pan laat vallen, moet afwassen, trouwens.' Ik probeer zo streng mogelijk te kijken.

Hakim wil wat zeggen, maar ik ben hem voor. 'En hier is geen vaatwasser.'

Hij pakt snel de abrikoos uit de chocola en brandt zijn vingers. 'Auw! En dat zeg je nu.'

Uiteindelijk heeft iedereen wel iets in de chocola laten vallen en na het eten ruimen we alles met z'n allen op. We zetten een hele foute cd op, flink hard, en zingen allemaal mee. Vierstemmig. De buren moeten maar even de andere kant op luisteren.

Hakim heeft ook muziek meegenomen en een dvd van Lowlands van afgelopen zomer.

'Geweldig!' Naomi stopt 'm meteen in de dvd-speler.

'Ik ben er geweest!' Elisa pakt het doosje. 'Die heb ik gezien, was zo gaaf. Spoel eens door naar het achtste nummer?'
Gelukkig zijn we nou ook weer niet zo fanatiek dat we niet praten tijdens de muziek. Integendeel. We kletsen alsof we elkaar weken niet gezien hebben.
Als ik de hapjes, die Naomi en ik gemaakt hebben, op tafel zet, ga ik naast Hakim op de bank zitten. Hij steekt meteen een met roomkaas gevulde dadel in m'n mond. Heerlijk. We praten de hele avond over van alles, over hoe het bij ons begonnen is met muziek, over welke muziek we goed vinden en waarom en waarom andere muziek niet, maar ook over vakanties en onze vorige school en wat we later allemaal willen gaan doen.
Ik kan me niet herinneren dat ik ooit zo'n leuke verjaardag heb gehad. Alleen mis ik Tika gigantisch. Die kon natuurlijk niet zomaar komen, door de week. Ondanks dat zit ik hier prima, met mijn nieuwe vriendinnen en op één meubelstuk met Hakim, die van alles vertelt, een van de poezen een stukje kaas voert en me af en toe aankijkt.

41.

Als ik thuis ben, vier ik mijn verjaardag nog een keer.
Ik ben nog niet over de drempel gestapt als Hugo mij met een trots gezicht een pak geeft. Een groot, zwaar kado. Het heeft de vorm van een groot boek, maar daarvoor weegt het toch echt te veel. Ik scheur het papier er af... een laptop!
'Tweedehands, hoor,' zegt mam meteen. 'Maar net wat voor jou.'
'Ik heb hem helemaal geconfigureerd,' zegt Hugo trots. 'Nu is hij heel snel en er zit ook extra geheugen in.'
Ik vlieg Hugo om z'n nek. 'Wat een grote schat ben je toch.'
Hij kijkt er een beetje onhandig bij, maar dan laat hij alle spel-

letjes zien die hij erop heeft gezet en een programma waarmee
ik makkelijk muziek op mijn mp3-speler kan zetten. Soms is
Hugo echt een toffe broer!

'En wie hebben we daar?' zegt m'n moeder.

Ik kijk om. Tika staat natgeregend in de keuken.

'Hé, Tiek,' begroet ik haar.

'Gefeliciteerd.' Ze geeft me een dik boek voor in de trein, over
een meisje dat in haar eentje een wereldreis gaat maken.

Omdat ik jarig ben, heeft mijn moeder mijn lievelingseten
gemaakt: hutspot met kaassoufflés. Hoewel ik het erg kinderachtig vind om toe te geven, heb ik pas nu het gevoel dat ik
echt jarig ben. Er zijn een paar kaarten voor me gekomen en
papa heeft slingers opgehangen.

Tika eet natuurlijk mee.

'Wat heb je allemaal gekregen, en hoe was je feestje?' vraagt
ze.

'Erg leuk. Weet je wat Hakim voor me gemaakt heeft? Echte
Groningse Poffert. Hij heeft speciaal voor mij een paar uur in
de keuken gestaan. Lief, hè?'

'Ik hoor de naam Hakim wel érg vaak.' Tika grijnst.

Ik schop haar onder tafel.

'Hakim?' Hugo maakt een 'daar gaan we weer'-gebaar.

'Wie is dat?' vraagt mijn moeder.

'O, zomaar een jongen uit mijn klas,' zeg ik snel. 'Maar goed,
toen Naomi kwam, gingen we samen chocoladefondue maken.
We hebben zo gelachen.'

Ik vertel over de avond. Ik probeer het niet al te gezellig te
laten klinken, want dat vind ik weer zo sneu voor Tika.

'Wat voor kaas had je gebruikt voor die fondue?'

M'n pa zet een grote pudding op tafel, met vlaggetjes en kara-
melsaus. Daar nemen we allemaal een stuk van.

'Het was chocoladefondue. Zei ik toch.'

'Sorry. Ik was er even niet bij met m'n gedachten.'

Ik zie opeens dat mijn vader er moe uit ziet.

'Gaat alles wel goed?' Ik hoop op een simpel 'tuurlijk', maar mijn vaders ogen blijven ernstig staan.

'Nou, eigenlijk niet.' Hij gaat weer zitten. 'Het gaat niet zo goed met oma. Ze is moe en ze heeft pijn.'

O nee! Waarom wist ik dat niet? Ik zo ver weg in Rotterdam leuke dingen aan het doen en oma hier, moe en ziek. En ik heb de hele week niet eens gebeld.

Het eten smaakt me meteen niet meer.

'Waarom hebben jullie niks gezegd?'

'Wat had je kunnen doen? Je had je alleen maar zorgen gemaakt.'

'Toch hadden jullie me moeten bellen! Oma is ook van mij.'

Ik ga er meteen na het eten heen. Tika fietst met me mee naar het dorp, ze gaat naar haar vader die nog in hun huis woont. Terwijl ik mijn fiets tegen het hek zet, doet opa de deur al open. Hij heeft zich niet geschoren en er zit een vlek op zijn trui.

Hij geeft me een hand. 'Nog gefeliciteerd, kind.'

Ik loop naar de slaapkamer. Oma ligt in haar pyjama in bed, zonder bril en ze is net wakker. Ze lijkt kleiner en smaller dan anders. Als ze me ziet, lacht ze, maar ik zie dat het haar moeite kost.

'Sanne.'

Ze wil me kussen, maar het lukt haar niet overeind te komen. Ik buig me naar haar toe en geef haar een kus. Er hangt een wat vreemd luchtje om haar heen.

'Gefeliciteerd met je verjaardag.' Haar stem klinkt zacht en vermoeid. 'Ik had nog wel een kadootje voor je willen kopen.'

Ik lach. Hoe had ze dat willen doen?

'U had een mooie kaart gestuurd. Kwam precies op tijd.'

Ik ga op de stoel naast het bed zitten. Op het nachtkastje staan een paar flesjes en potjes en er ligt een uitgevouwen bijsluiter. Ik voel me niks op m'n gemak.

'Hoe gaat het met je?' Oma fluistert het bijna.

Tegen iemand die er zo ziek uit ziet, kun je natuurlijk niet

anders zeggen dan: 'Heel goed. En met u?'
'Ach, ik heb me wel eens beter gevoeld. Geef m'n bril eens aan?'
Ik doe het.
'Laat me je eens goed bekijken.' Ze kijkt naar me en knijpt zo stevig als ze kan in mijn hand. 'Je wordt groot, lieverd.'
Hoewel dat zo ongeveer het stomste is wat je kunt zeggen tegen iemand die jarig is geweest, vind ik het nu alleen maar heel lief.
Opa zet twee kopjes thee neer met een plak zelfgemaakte cake.
'Voor je verjaardag,' bromt hij.
Sjonge, denk ik, ik krijg allemaal cakes op mijn verjaardag. Ik neem een hap, maar ik kan nog net op tijd voorkomen dat ik het weer uitspuug. Blehg! Het smaakt ontzettend vies. Opa heeft zout gebruikt in plaats van suiker. Hoe moet ik hem dat nu op een beleefde manier duidelijk maken? Met tranen in mijn ogen slik ik het stuk cake door. Opa neemt zelf geen stuk en oma ook niet.
'Hm, opa, volgens mij is er iets misgegaan met de cake,' zeg ik dan toch maar.
Opa kijkt wat verward op. 'Wat bedoel je?'
'Heeft u zout gebruikt in plaats van suiker?'
Opa neemt een klein hapje van mijn cake. Boos bromt hij iets en hij staat meteen op. Ik hoor in de keuken dat hij de rest van de cake weggooit.
Ik loop achter hem aan. Opa staat midden in de keuken, te midden van een flinke afwas en hij kijkt me aan.
'Ik help met afwassen,' zeg ik.
Ik was, opa droogt. Zwijgend.
Als ik naar oma's slaapkamer loop om haar een kus te geven, is ze in slaap gevallen. Ik kijk naar haar gesloten ogen, de bril die op het nachtkastje ligt en haar boek waar ze al weken in aan het lezen is.
Dag, oma, denk ik.

In de woonkamer is opa in de luie stoel gaan zitten. De tv staat uit.

'Dag, opa.'

Hij steekt zijn hand op.

Ik fiets weg en als ik omkijk, zie ik door het raam nog net opa's hoofd; hij wrijft met zijn hand in z'n nek. Naar mij kijkt hij niet meer.

Er zit iets hards in m'n buik wat ik niet meer weg krijg.

42.

Vandaag komt Tika langs in Rotterdam. We zijn morgen toevallig allebei een dag vrij van school vanwege een studiedag of zoiets vaags. Ik sta veel te vroeg op het perron. Wat duurt wachten lang! En als de trein eindelijk stilstaat, stapt ze natuurlijk helemaal aan de andere kant uit.

'Tika!'

'Sanne!'

We rennen over het perron en omhelzen elkaar heel dramatisch, alsof we elkaar honderd jaar niet gezien hebben en krijgen meteen de slappe lach als andere mensen naar ons kijken. Gearmd lopen we het station uit.

Tika kijkt om zich heen. 'Wauw! Wat een enorme flats. En waar is jouw school?'

Trots wijs ik haar het gele gebouw schuin tegenover het station. We lopen de school in. Ik groet de portier en bedenk hoe snel ik eraan gewend ben dat je hier niet zomaar naar binnen kunt en op het Noordzijcollege wel. We gaan met de roltrap meteen naar mijn verdieping. Tika kijkt haar ogen uit.

'Hier heb ik altijd aardrijkskunde en daar en – hoi! – dat was mijn lerares Engels en kijk, daar repeteren we met de Bigband, en hier heb ik saxles en hier was vorige week die salsaband waar ik je over vertelde, weet je nog?'

'Wauw,' zegt Tika alleen maar.

In de kantine nemen we een glas thee met een rozijnenkoek.

Tika gaat voor het raam staan. 'Wat een uitzicht, ongelooflijk!'

'Daar ergens wonen Ben en Marianne,' wijs ik. 'En daar achter dat gebouw zit een heel gaaf muziekwinkeltje met zelfs muziek uit Ethiopië en IJsland.'

Verderop zitten een paar studenten en een docent in het Engels met elkaar te praten.

Tika is behoorlijk onder de indruk van alles, zoals ik was toen ik hier voor het eerst kwam.

'Wat ontzettend leuk dat je er bent.' Volgens mij is het al de vierde keer dat ik dat zeg.

'Vind ik ook,' zegt Tika.

'Hoi,' zegt opeens iemand naast me.

Ik kijk om en mijn hart slaat meteen als een gek. Hakim. 'Is dat je zus?'

'Ik heb helemaal geen zus,' breng ik uit.

Hakim lacht. 'En wie ben jij dan wel? Want een beetje fatsoenlijk voorgesteld worden is er niet meer bij, geloof ik.'

'Ik ben Tika.'

Tika steekt haar hand uit en Hakim geeft haar een handkus. Mmmm. Ik moet zeggen dat ik dat een heel klein beetje niet zo leuk vind. Dat zou hij alleen bij mij moeten doen, vind ik.

'Komen jullie straks nog luisteren?' Hakim wijst naar de Muziekzaal. 'Ik ga spelen met een grappig bandje. Gaat beter met leuk publiek.'

'Lijkt mij leuk,' zegt Tika. 'We hebben toch tijd zat?' Ze kijkt me aan.

'Tijd zat,' knik ik.

'Tot zo dan, leuk.' En weg is Hakim.

'Dus dat is 'm? Wat een leuke jongen.'

'Ja, leuk hè?' Ik verfrommel het koekpapiertje en schuif m'n stoel wat dichter bij Tika. 'Hoe gaat het met jou? En met je ouders en zo?'

Ze kijkt naar haar vingers en bijt een stukje nagel af.

'Ach,' zegt ze. 'Ik weet het niet. Mijn ouders lijken wel een stel kleuters. Ik had gehoopt dat het nu wat rustiger zou worden, nu de beslissing is genomen. Maar da's niet zo. Om eerlijk te zijn, ben ik blij dat ik even weg kon.'

'Ga je bij je moeder wonen? Of bij je vader?'

'Bij m'n moeder. Denk ik. M'n vader werkt veel en hij gaat in een klein appartementje wonen.'

Ze zwijgt even en krabt een vlekje van haar broek.

'M'n moeder werkt ook veel. En die weet nog niet waar ze gaat wonen. Ik vind het verschrikkelijk om te moeten kiezen.'

Ze kijkt naar me met een blik die ik niet kan peilen. De ramen weerspiegelen in haar ogen.

'Ik ga natuurlijk om het weekeind naar m'n pa. En in de vakanties. Maar dat moet allemaal nog officieel afgesproken worden.'

Ze lacht en zucht tegelijk. 'Net een film waar ik in zit. Een slechte film.'

Een van de studenten naast ons pakt z'n gitaar en begint wat te spelen. Het klinkt heel makkelijk, alsof hij het zo uit z'n mouw schudt. We luisteren naar het vrolijke gepingel dat door de kantine huppelt.

Ik haal nog twee kopjes thee. Als ik terugloop, kijk ik naar Tika's verwarde haar dat scherp afsteekt tegen de achtergrond van de skyline van Rotterdam. Ik heb opeens zo met haar te doen.

'Hier,' zeg ik en zet de thee op tafel en haal mijn hand door haar haar. Tika snuit haar neus in een servetje dat nog op tafel lag.

'Hoe is het in dat vakantiehuisje?'

Tika haalt haar schouders op. 'Als het niet zo'n stomme reden had dat we daar zaten, vond ik het nog wel leuk ook. Het is er prachtig. Vogels, eekhoorns, water. Maar er is bijna niemand nu, in de herfst. Het zwembad is dicht en 's avonds is het pik-kedonker en zo stil dat ik af en toe denk dat m'n oren het niet meer doen. En m'n moeder maar bellen en regelen of juist hele avonden voor de tv zitten en niks zeggen.'

We zwijgen. De gitarist speelt een vrolijk riedeltje. Wat moet dat raar zijn, dat in je huis en je kamer waar je alle hoekjes en gaatjes kent en waar je zo vaak gezeten hebt en zo veel gepraat, opeens een ander gezin gaat wonen en dat iemand anders jouw kamer krijgt. Ik moet er niet aan denken dat ons huis ons huis niet meer zou zijn.

Van de andere kant van de verdieping klinkt een drumstel, een saxofoon en iemand zingt luidkeels 'test, test, téééést' door een microfoon.

'Da's de band van Hakim,' zeg ik. 'Zullen we?'

In de Muziekzaal begint een onofficieel optreden van *The Magic Players*. Er zitten nog wat studenten en een paar docenten. Als het licht uitgaat, knalt de muziek de ruimte in, als een radio die opeens aangezet wordt. Ik word er meteen door geraakt. Hakim staat vlak voor m'n neus te spelen alsof hij helemaal alleen is. Er zit natuurlijk ook een drummer en een pianist, maar wat mij betreft spelen die uitsluitend om Hakims sax nog beter uit te laten komen.

Hakim vertelt zijn eigen prachtige verhaal. Het gaat over liefde en verdriet en over dingen die ver weg en lang geleden gebeurd zijn en over alles wat er tussen mensen kan gebeuren. Het klinkt bijna verdrietig. Mooi, maar verdrietig. Er zit ook iets niet-Nederlands in. Zou hij soms toch heimwee hebben naar z'n land? Of zou ik er van alles in horen wat er helemaal niet in zit?

Ik denk aan een keer dat ik bij opa en oma logeerde. Het was warm, zomer denk ik, en we gingen naar het strand. Ik mocht alle schelpen die ik vond meenemen en toen we weer thuis waren, maakte opa in elke schelp een gaatje en daar reeg ik een ketting van. Volgens mij heb ik 'm zelfs nog. En van de schelpen die over waren, maakte ik een ketting voor oma en voor opa en ze droegen 'm allebei de hele dag, ook toen er bezoek kwam.

Ik haal diep adem. Onder in mijn binnenste groeit opeens de

onrust, die daar al een tijdje aan het broeien is. Ik durf er geen woorden aan te geven. Want dat zijn geen leuke woorden. Het gaat niet goed met oma. Haar vermoeide ogen...

Stop met denken.

Stop!

Nú.

Gauw aan iets anders denken! Het haar van de drummer zit slordig. Kijk naar Hakim, die speelt alsof hij praat, zo makkelijk en vanzelfsprekend. De pianiste heeft een rok aan met grote roze bloemen erop, geweldig. Door het raam zie ik een paar enorme wolken in de vorm van vriendelijke reuzengezichten, die me van grote hoogten aankijken en geruststellend knipogen.

Tika zit met haar hand voor haar mond te luisteren en vergeet bijna te klappen als het afgelopen is.

'Wat was dát ontzettend mooi,' zucht ze. 'Soms begrijp ik helemaal waarom jij muziek wilt maken, en niks anders.'

De band begint met opruimen en wij lopen de zaal uit. Het is een vreemde gewaarwording dat het na een optreden in zo'n donkere zaal nog licht is en dat het een hele gewone woensdag is gebleven. Na zo'n onderdompeling zou je bijna denken dat de wereld een beetje mooier moet zijn geworden.

'En ik snap ook dat je Hakim leuk vindt,' fluistert Tika als we de gang op lopen.

Ik lach maar een beetje.

'Hè, wat is er?' vraagt Tika.

Ik schud m'n hoofd. 'Moest denken aan m'n oma.'

Tika slaat haar armen om me heen, midden in de gang, en allebei laten we een klein traantje vallen.

Buiten zegt Tika: 'Zo. Uitgegriend. En nu wil ik ff iets heel aards doen. Shoppen. Kleren kopen. Ik ben hier voor de lol, weet je nog?'

Kijk, dit is waarom ik Tika zo graag bij me heb. We kunnen samen lachen en janken en hele gewone dingen doen.

We lopen naar de Koopgoot. Voor mij is het wel weer eens tijd om wat nieuwe kleren te kopen. Ik krijg kleedgeld, maar soms koop ik maanden niets nieuws. Ik ben daar nooit zo goed in. Ik weet nooit goed wat me staat en wat in en uit is. Daarom draag ik het liefst een spijkerbroek met een trui, altijd goed. Maar wel saai, vindt Tika.

Met haar erbij gaat het een stuk beter. 'Pas dit eens,' en ze houdt een blauwe trui met knoopjes omhoog.

Ik pas hem en voor de spiegel zie ik dat ie me echt goed staat, al zeg ik het zelf.

'Vindt Hakim vast ook,' grijnst Tika.

Ik koop twee leuke truitjes en een nieuwe spijkerbroek met geinige borduursels op de pijp en Tika koopt nieuwe schoenen en een supergave tas.

'En nu: eten!'

Mijn maag knort en overal in de stad ruikt het naar pizza, knoflook, lekkere broodjes. Volgens mij blazen die eethuisjes hun etensgeuren expres de straat op om je te verleiden. Ergens bij een leuke Indiase broodjestent ploffen we neer. Wat een gekke dag: Tika hier in Rotterdam, wij allebei een beetje verdrietig, en nu weer met een tas vol nieuwe kleren samen wat eten.

'Ik trakteer,' zegt Tika. 'Mijn vader geeft me zo veel zakgeld de laatste tijd. Vast uit schuldgevoel.'

We nemen allebei een granenbol met geitenkaas.

'Wist je trouwens dat Thomas een vriendinnetje heeft?' zegt ze met haar mond vol. 'Ik zag hem in de stad innig verknoopt met een meisje.'

'Echt?'

Met verbazing merk ik dat ik dat niet leuk vind. Kennelijk heb ik toch niet zo veel indruk gemaakt; hij is me heel snel vergeten. Of hij vond mij toch niet zo leuk als ik dacht.

'Wat is er?'

'Hij had best wat langer mogen treuren om mij,' lach ik.

Nou ja, lachen... Eigenlijk vind ik het best een rotstreek. Of zou het jaloezie zijn?

'En jij en Hakim dan?'
Ik haal m'n schouders op.

De volgende ochtend worden we pas tegen elven wakker. We zijn gisteravond naar de film geweest en daarna hebben we nog tot laat liggen praten over school, jongens en over m'n oma en opa. Er is er niemand thuis. Het zonlicht valt door de ramen naar binnen. Er ligt vers brood voor ons klaar en we ontbijten uitgebreid in onze pyjama. De poezen liggen uitgestrekt tegen elkaar aan in de zon op de bank te slapen. Wat moet het heerlijk zijn om zo je dagen door te brengen. Slapen en omdraaien en verder slapen. Voor de rest hoef je niks en wil je niks en maakt het allemaal niet uit. Ik wou dat ik er zo naast kon gaan liggen.

Ik zet een paar cd's op die ik Tika wil laten horen. De kamer stroomt vol met muziek. Het maakt me niet vrolijk, zoals anders. Ik vind het vreselijk dat Tika straks weggaat en ik hier blijf.

Tika kijkt uit het raam. 'Wat 'n drukte hier.'

Samen kijken we een tijd naar buiten. Dat is een van de leuke dingen van wonen midden in de stad: er gebeurt altijd wat. Je hebt geen televisie meer nodig. Het riool wordt gereinigd, een man komt zes keer bellend langslopen, een jongen gooit een brief in de brievenbus, een jongen en een meisje lopen ruziënd voorbij en een man loopt voorbij en leest tegelijkertijd een boek.

'Wil je nog een boterham?' Ik hoop dat ze ja zegt, ook al weet ik dat het alleen maar uitstel van executie is.

Tika schudt haar hoofd. 'Ik ga zo.'

Ik wou dat ik mee kon, maar ik moet morgen naar school en 's middags repeteren.

Tika pakt haar spullen bij elkaar en we nemen de tram naar het station. We zeggen niks, kijken alleen uit het raam. Zo meteen rijd ik dit stuk weer in mijn eentje terug. Ik wil mee. Ik wil met Tika mee naar huis. Gewoon. Naar oma. Thee voor haar zetten, wat muziek luisteren, of een film kijken.

Natuurlijk zijn we veel te vroeg op het station. We lezen wat krantenkoppen bij de kiosk, pakken een gratis krant uit een rek en slaan elkaar er een paar keer mee. Dan rijdt de trein het station binnen en Tika stapt in.

'Ik spreek je op msn,' zegt Tika.

'Ik kom zaterdag bij je, oké?'

Tika knikt.

Het fluitje van de conducteur doet zeer aan m'n oren.

Ik zwaai haar uit tot ik alleen nog een zwaaiende hand voor het raam zie.

Dan is de trein weg. Alle lol die we gehad hebben, is het perron afgewaaid.

Nog voor ik het station uit loop, heb ik de eerste sms al: *'Was heel gezellig. Thnx dat je mijn vriendin bent.'*

43.

Nog een paar weken, dan is het kerstvakantie. Het is druk op school en dat vind ik fijn: geen tijd om te veel na te denken over wat er aan de andere kant van het land aan de hand is.

Maar de nacht houdt me niet voor de gek. Ik slaap heel slecht. Ik lig te draaien en te woelen. Van elke voorbijrijdende auto word ik wakker. Wanneer ik even slaap, droom ik over treinen die niet meer rijden, mijn oma die me roept en ik die naar huis wil maar de weg niet meer weet.

Ik schrik wakker. Het is bijna zes uur. Ik kijk om me heen en zie een foto van mijn ouders en denk heel even: gelukkig, ik ben thuis.

Met een hoofd vol loodzware gedachten ga ik op de rand van mijn bed zitten. Er gaat iets niet goed. Er gaat iets helemaal niet goed.

Slapen wil ik niet meer, straks komen er weer van die rotdromen. Ik verdwijn zachtjes de badkamer in en laat het bad vollopen. Langzaam laat ik me in het warme water zakken. De zwarte flarden lossen op tussen het schuim. Mijn lijf en mijn hoofd komen tot rust. Als ik mijn ogen dichtdoe, kan ik me heel makkelijk indenken dat ik gewoon thuis ben. Pas als ik gestommel hoor uit de kamer van een van de jongens doe ik m'n ogen weer open.

In de tram op weg van school naar de Binnenstraat gaat mijn mobiel. Mijn vader.
'Oma is opgenomen in het ziekenhuis,' zegt hij. 'Het gaat niet goed met haar.'
Alsof de tram opeens vacuüm gezogen wordt, zo lijkt het: ik kan bijna geen adem halen.
'Wat is er gebeurd?'
Mijn hart klopt meteen tien keer zo snel. Ik moet onmiddellijk naar huis! Ik sta al op om bij de eerste halte eruit te gaan.
'Ze is een paar keer flauwgevallen.'
'Ik kom naar huis.'
'Nee, dat is niet nodig. Oma is alleen heel moe en eet veel te weinig. Bovendien kan ze veel bezoek niet aan. Wij gaan er vanmiddag weer naar toe en Hugo is gisteravond geweest.'
'En hoe gaat het met opa?'
'Hij is natuurlijk erg bezorgd. Maar we zijn de hele tijd bij hem of hij is bij ons. Echt, je hoeft je geen zorgen te maken.'
Dan had je niet moeten bellen, denk ik grimmig. Denk je nu echt dat ik me na zo'n telefoontje 'geen zorgen' maak?
Ik stap midden in de stad uit en begin te lopen, zomaar nergens naar toe. Het is gek: hoewel het zoveel drukker is dan in Weerdveld voel ik me veel meer alleen. Je kunt hier door een straat met duizend mensen lopen en niet gezien worden. Ik vind dat niet vervelend, geloof ik. Het is wel eens prettig om op te gaan in de massa. Om een onderdeel van de stad te worden en een beetje te dwalen langs de gevels en door de straten.

In Weerdveld kom je altijd iemand tegen als je het dorp in gaat en ook dat is fijn, maar soms wil je met rust gelaten worden.

Ik loop de Coolsingel af en ga daarna over de Blaak richting de Maasboulevard. De lucht is grijs en somber, de wind is koud en hard. Het wordt al donker in Rotterdam. Overal zijn kerstlichtjes te zien en alle etalages hebben een kerstboom of knipperende lampen.

Een koude windvlaag waait door m'n haar; waarom heb ik m'n sjaal vanmorgen niet omgedaan?

Ik kom in een buurt waar ik nog nooit geweest ben. Bij een klein winkeltje dat helemaal volgestouwd is met spullen koop ik een mooie kaart voor oma, van een paar gekke mannen die saxofoon spelen bij een koe met een gipsen poot. Als ik die nu meteen op de post doe, heeft ze 'm morgen. Opa neemt hem wel mee naar het ziekenhuis.

Ik weet niet goed wat ik moet schrijven. Mijn pen blijft boven het karton zweven. Uiteindelijk schrijf ik: 'Lieve oma, heel veel beterschap en tot gauw. Liefs, Sanne.'

Het duurt lang voor ik een brievenbus gevonden heb.

44.

'Wat is er aan de hand?' vraagt Hakim.

We zitten samen in de kantine. De zon schijnt laag door de ramen naar binnen. Vanmiddag na schooltijd hebben we even samen gespeeld, maar het ging helemaal niet.

'M'n oma ligt in het ziekenhuis.'

In de streep zonlicht dwarrelen allemaal stofjes.

'Wat is er dan? Is het ernstig?'

'Volgens mijn vader niet. Maar ik vertrouw het niks. En m'n opa maakt zich zoveel zorgen.'

Ik heb vanochtend met thuis gebeld. Het gaat nog steeds niet goed met oma, niet slechter, maar ook niet beter. Ze mag voorlopig niet naar huis. De gedachte aan opa alleen in zijn huis, die in zijn eentje zijn koffie drinkt en alleen gaat slapen – ik moet het niet te scherp voor me zien, want ik begin zo te huilen. We zijn een hele tijd stil. Hakim haalt zomaar twee cola.

'Dank je. Vertel eens wat leuks.' Ik neem een slok.

'Mmm. Dan moet ik even diep in mijn hersenpan graven.' Maar bijna meteen begint hij te praten.

'Ik moest een keer optreden op een feestje. Met m'n, eh, vierde band, was dat geloof ik. Wij spelen, maar dat publiek keek zo raar! Ze dansten niet, ze vroegen steeds of het wat zachter mocht en niemand lachte. Bleek dat we op het verkeerde feestje waren. We moesten een zaal verder zijn.'

We lachen.

'Zal ik nog iets vertellen of wil je liever over je oma praten?'

'Nee, vertel nog maar wat. Ik heb wel zin in nog een leuk verhaal.'

Ik weet niet waar ik blijer van word, van zijn verhalen of van Hakim zelf die met zijn glimmende ogen aan het praten is om mij op te vrolijken. Ons lijntje knettert harder dan ooit. Hij moet dat ook voelen, ik weet het zeker.

Hij praat en lacht en pakt even mijn arm.

Dit is het moment!

Als hij weer naar me kijkt, klopt mijn hart hoog in mijn keel.

Nu.

Nee. Ik durf het niet. Ik neem een slok uit mijn beker, die allang leeg is.

Hakim praat door. Ik hoor bijna niet wat hij zegt.

Opeens denk ik: als ik het nu niet doe, dan doe ik het nooit.

Ik sta half op.

Buig naar hem toe.

En dan mik ik een kus op zijn wang.

Hij stopt meteen met praten.

Ik ga weer zitten. Het duurt even voor hij me aankijkt. Net iets te lang. Het is alsof het opeens helemaal stil in de kantine is.

152

'Wat doe je?'

Dat klinkt niet zo romantisch als ik had gehoopt.

'Ik, eh, ik vind je lief,' zeg ik.

De sfeer die er was, waarvan ik dácht dat die er was, verdwijnt alsof er een raam is opengezet.

'Ik jou ook.' Hakim wrijft over zijn gezicht. 'Maar…'

Ik bijt op mijn onderlip.

Geen idee wat er na die 'maar' komt. Ik wil het niet horen. Al mijn dromen, inclusief de huifkar met paard en al, verdwijnen door een afvoerputje in de grond. Mag ik oplossen in de lucht? Veranderen in een bromvlieg? Is er ergens een grote grot waar ik een paar eeuwen in mag gaan zitten?

'Je vindt me te saai, te raar, te lelijk, of…'

'Nee. Ik vind je hartstikke leuk. Het is alleen…'

Het blijft weer stil.

Hakim pakt zijn koffer en staat op. 'Ik eh, ik zie je nog wel.'

Ik zie dat hij zich ontzettend ongemakkelijk voelt. Ik heb bijna met hem te doen.

Als hij de kantine uitloopt, heb ik het idee dat ik in mijn nakie achterblijf. Mijn verbijstering moet voor de hele wereld zichtbaar zijn. Werkelijk iedereen moet hebben gezien wat hier gebeurde. Hoe kan ik zó stom zijn? Zo blind? Hij ziet niets in mij, natuurlijk niet. Ik heb me nog nooit in m'n leven zo stom gevoeld. Kon ik de tijd maar vijf minuten terugdraaien, dan zou ik voor altijd blijven dromen en nooit dat ene doen, waar ik al niet eens meer aan durf te denken zonder dat het schaamrood boven mijn haren uitstroomt.

Als mijn benen het weer doen zonder dat ik ter aarde stort, verlaat ik de kantine, de school en als het had gekund was ik van de wereld gesprongen. Ik neem de eerste de beste tram die voorbij komt.

Weg hier!

45.

Volslagen suf zit ik de volgende dag op school. Ik heb nog nooit zo slecht geslapen. Ik heb alleen maar aan oma gedacht, en aan opa. Andere nachten droomde ik zo weg als ik aan Hakim dacht, aan allemaal leuke dingen met ons tweeën. Maar nu durfde ik nog geen honderdste seconde in de buurt te komen van ook maar één gedachte richting, nou ja, hem dus. Ik had willen spijbelen en hem nooit meer onder ogen hoeven te komen, maar ik ben zo duf en slaperig dat het me eigenlijk niets kan schelen. Ik maak het toch maar half mee.

Hakim groet me vriendelijk, zoals altijd. Ik hoop dat mijn 'hoi' net zo normaal klinkt.

De les bij Hans gaat uiteraard ook niet goed.

'Wat is er toch met je aan de hand?'

'Het lukt niet zo vandaag.'

'Dat is te merken. Zo wordt het natuurlijk niks. Kom op, pak die sax en geef 'm van jetje.'

En ik dacht nog wel dat de docenten hier anders zouden zijn. Maar ze zitten soms net zo te drammen als op het Noordzijcollege.

Ik pak mijn sax en blaas erop. Met een schuin oog kijk ik op de klok. Nog tien minuten, dan hebben we het weer gehad.

Hans schudt z'n hoofd. 'Geen idee wat er aan de hand is, maar dit slaat nergens op.' Hij noteert het huiswerk voor de volgende keer.

'Ik ben moe.' Ik moet mezelf een beetje verdedigen.

'Kom op, meid, je kunt het.' Hij schudt me even aan m'n schouder heen en weer. 'Een goeie muzikant kan ook spelen als ie down, verdrietig of moe is.'

Ik pak mijn koffer en loop de gang op. Het interesseert me allemaal niks meer.

Ik ben blij dat we vandaag niet repeteren en ik ga meteen na de laatste les naar huis. Naar de Binnenstraat, dus. Gelukkig is er niemand. Ik zet thee die ik koud laat worden en ik vergeet muziek aan te zetten op m'n kamer.

Uren sta ik voor het raam te staren. Ik zucht zó diep dat een stuk van het glas even beslaat. Een van de poezen, de grijze, komt naast me in de vensterbank zitten en likt aan m'n hand. Ik wil maar één ding en dat is: naar huis. Op mijn eigen bed in mijn eigen kamer in mijn eigen huis. Bij oma zijn. Misschien wil ze wel voorgelezen worden. Ik kan hier zo ontzettend niks voor haar doen. Daar ook niet, maar dan ben ik in elk geval vlak bij haar. Nog drie nachten slapen, dan mag ik weer naar huis.

De grijze poes Okki duwt met z'n kop tegen m'n hand. Aaien moet ik. Ik ga op bed zitten en neem het warme, zachte dier op schoot. Ze haakt met haar pootjes in mijn trui. Lief dier.

Zou ik niet gewoon de trein moeten pakken en van school weg moeten blijven? Wat kan mij het allemaal schelen. Samen spelen met iemand als Hakim is iets wat ik nog nooit zo meegemaakt heb. Hij haalde het beste uit me. Dat juist hij mij niet wil, is niet alleen slecht voor mijn ego, maar ook voor mijn muzikantenhart. Zo goed zal ik dus nooit meer spelen.

'Een goeie muzikant kan ook spelen als hij moe of verdrietig is,' zei Hans. Dat is dus duidelijk: ik ben geen goeie muzikant.

Ik kriebel de poes in z'n nek. Hij gaat op z'n rug liggen en spint zo hard dat ik het voel trillen in m'n benen. Hij slaat z'n pootjes om m'n arm alsof ik hem nooit meer los mag laten.

Hoe zou het zijn als ik nog gewoon op het Noordzij zat? Heel gewoon, naast Tika, bij Sarah en bij Evy. Heel gewoon les van Anoek, dromen van het conservatorium. Gewoon op de boerderij, zoals het altijd was, zoals het altijd zou zijn. Het lijkt opeens een andere wereld. Waarom wou ik daar ooit weg?

Intussen hoor ik dat de jongens thuis zijn gekomen, maar gelukkig laten ze me met rust.

Na een tijd stijgen er macaronigeuren de trap op. Ik heb geen honger.

Op m'n laptop met Okki op schoot bekijk ik de foto's die ik de afgelopen jaren gemaakt heb. Tika en ik, de band, een paar stiekeme foto's in de les, gemaakt met de mobiel van Tika. O ja, toen moesten we zo verschrikkelijk lachen, toen we Kernramp voor de gek hielden, en hier, foto's van de vakantie, toen we zelf ijs probeerden te maken. En toen we ons opgemaakt hadden, en deze, foto's van ons optreden van het Winterfestival. En die prachtige foto die papa me stuurde, van de avondlucht boven ons huis. De tranen rollen over mijn wangen. Ik begrijp niets van die chaos in mijn hoofd.

'Sanne, eten,' hoor ik Benno onder aan de trap roepen.

Zo goed en kwaad als het gaat, was ik mijn gezicht en ogen met koud water. Maar het helpt natuurlijk niks.

'Gaat het wel goed met je?' vraagt Marianne als ze het eten opschept.

Benno en Victor kijken me aan en lachen lief naar me en dan hou ik het niet meer. Ik ren terug naar m'n kamer.

Na een tijdje gaat de deur open en Marianne komt binnen. Ze geeft me een glas water. Ze komt naast me op het bed zitten en zegt een hele tijd niks. Ik zeg het niet, maar ik hoop dat ze merkt dat ik dat toch fijn vind. Dan vraagt ze of ik zin heb om mee boodschappen te gaan doen. Dat heb ik.

46.

De volgende ochtend word ik wakker met een knallende koppijn. Ik durf mijn hoofd niet eens meteen op te tillen van het kussen. Voorzichtig open ik eerst één oog en dan het andere. Iets is anders dan anders. Het licht. Het is zo stil buiten. Ik kijk op m'n wekker. Half tien! Ik had al een uur geleden op school moeten zijn. Ik spring op, zo goed en zo kwaad als het gaat met mijn hoofd en loop de trap af.

'Hé, ben je daar?' Marianne is in de keuken boodschappen aan het opruimen. 'Je sliep dwars door de wekker heen en ik

heb je maar laten slapen. Op school heb ik je ziek gemeld.'
Wat goed. Dat kan ik wel gebruiken, een heel rustig dagje.
Marianne moet straks werken en ik heb de hele dag voor
mezelf. Nog in pyjama neem ik een paar grote koppen thee,
een aspirientje en twee boterhammen. Dan pas kleed ik me
aan en ga de stad in. Dat het koud is en waait, vind ik heerlijk.
Eerst loop ik helemaal naar de Coolsingel, want daarachter
heb ik, toen ik hier met Tika was, een muziekwinkeltje gezien
waar we toen niet binnen zijn geweest. Ik heb nog twee cd-
bonnen van m'n verjaardag en die wil ik aan het eind van deze
dag kwijt zijn.
Het is gelukkig vrij druk in de winkel zodat ik een beetje onge-
stoord mijn gang kan gaan. Wat hebben ze veel en bijzondere
muziek hier. En hele rekken met korting. Ik ben m'n bonnen
in no time kwijt. Ik stop de muziek in mijn binnenzak en loop
verder door de stad, zomaar nergens heen. Ik kan linksaf,
rechtsaf, of terug, ik kan nog een uur lopen of de rest van de
dag – het maakt allemaal niet uit. Ik hoop alleen dat ik niemand van school tegenkom. In een boekwinkel blader ik in
een paar tijdschriften en in een drogisterij ruik ik aan een
shampoo en koop ik nieuwe haarelastiekjes. Ik voel aan de stof
van een jasje dat tweehonderd euro kost, geef een euro aan
een man met een accordeon, die met een grijze hond op een
deken voor een winkel zit. Ergens in een winkel onthoofden ze
een etalagepop en doen haar een nieuwe jurk aan, en in een
galerie hangen schilderijen die eruit zien alsof er een auto
overheen is gereden. Ik vind ze best leuk. Ik blijf een tijdje
staan kijken, tot een mevrouw met geblondeerd haar vanuit de
galerie naar mij kijkt. Ergens koop ik een blikje cola en bij de
Hema ga ik naar de wc. Ik heb geen idee meer waar ik ben. Als
ik tussen twee grote gebouwen door loop, zie ik opeens de
Maas. Een paar meeuwen scheren vlak over het water en het
lijkt of het hier harder waait. Vreemd om in een stad opeens zo
ver te kunnen kijken. Het water lijkt een groot, leeg plein. Aan
de overkant zie ik een geel busje rijden en een moeder met een

kind moeizaam tegen de wind in fietsen. Z'n rode jasje steekt fel af tegen de grauwe huizen.

Langs het grijze water loop ik richting de Erasmusbrug. Af en toe valt er een koude regendruppel op m'n wang. Ik steek mijn handen diep in mijn jaszakken. Een vrachtschip haalt me langzaam in en voor ik het doorheb, heb ik mijn hand opgestoken naar de stuurman. Hij zwaait terug. In de stuurhut staat een kleine televisie aan – of zou dat iets met het besturen van het schip te maken hebben? *De Ambitie* staat met witte letters op de achterkant geschilderd. Ik zou wel een stuk mee willen varen en aan boord slapen en wonen en leven. Zou dat leuk zijn? Je hebt je huis altijd bij je, maar geen vaste plek op deze wereld. Een week in Rotterdam wonen, een paar dagen in Amsterdam en daarna naar Groningen. Ik zou het best eens willen.

Voor het stoplicht staat een enorme rij auto's en bijna alle automobilisten zitten chagrijnig voor zich uit te kijken. Alleen in één auto zitten een paar jongelui die enthousiast zwaaien en toeteren als ik over het zebrapad loop. Hoewel ik het eerst niet van plan was, steek ik toch de brug over. Wat een overweldigend groot ding! Het lijkt alsof ik er zo afgeblazen kan worden, ik voel me zo klein en licht. Halverwege blijf ik staan en kijk over het water. Ik tel een stuk of twaalf varende schepen en er liggen er tientallen langs de wal waar honderden auto's rijden. En daarachter weer zo veel huizen, waar zo veel mensen wonen. En dan is dit nog maar één plek in één stad in één land. Ik ben maar één mensje van de zo veel andere mensen met allemaal hun eigen problemen en verhalen. Wat doet dat van mij er uiteindelijk toe? Weinig. Gek genoeg lucht me dat meer op dan dat ik er depri van word. Het is gewoon allemaal niet zo belangrijk.

Intussen is het serieus gaan regenen en ik heb geen capuchon op m'n jas, maar het kan me niets schelen. Ik loop verder de brug over en adem de rivierlucht diep in. De lucht wordt donkergrijs en het licht van de auto's wordt versnipperd door het natte wegdek. Als ik aan de overkant van het water ben gekomen draai ik me om en kijk naar de skyline van Rotterdam. Ik ben lichter, vrolijker. Er is iets zwaars van me af gevallen.

47.

'Ik stop ermee.'
Beatrijs kijkt me aan. We zitten op haar kantoor en ze zwijgt.
De woorden zijn als bakstenen op de grond gevallen. Keihard. En ze blijven liggen. Beatrijs raapt ze niet op en geeft ze niet terug. Er tikt een klok, ik hoor een tram van buiten, ergens in het gebouw drumt iemand.
'Waarom?' vraagt ze uiteindelijk.
Er loopt een klein spinnetje op de muur achter haar. Als ie bijna bij het plafond is, loopt ie weer naar beneden.
'Zit je ergens mee? Wil je erover praten? Waarom ben je niet eerder bij me gekomen?'
Ik haal mijn schouders op. 'Ik weet het niet. Ik ben geen echte muzikant.'
'Waarom denk je dat?'
'Anders was het niet in me opgekomen om te stoppen. Toch?'
Beatrijs gaat rechtop zitten en tikt een paar keer met een pen op de tafel. Ze heeft een heel verhaal over moeilijke keuzes, dat iedereen voor dit soort dingen komt te staan, dat je er doorheen moet, dat je jezelf tegenkomt en dat je daar alleen maar van groeit, en nog meer moois om me over te halen. Maar mijn besluit staat vast.
'Heb je er heel goed over nagedacht?' Beatrijs kijkt naar me alsof ze me niet gelooft.
Ik knik. Weer zwijgen. De drummer gaat uit zijn dak.
'Goed,' zegt ze uiteindelijk.
Uit een la haalt ze een stapel papieren. Ik vul alles in en zet mijn handtekening. Dan vouw ik ze dubbel en geef ik ze terug.

Beatrijs stopt ze in een envelop en kijkt me aan. Nu kan ik niet meer terug.

'Ik hoop dat je weet wat je doet,' zegt Beatrijs.

'Dat weet ik,' zeg ik.

Als ik door de gang loop, voel ik me in de verste verten niet opgelucht, zoals ik gehoopt had.

Ik ga dezelfde middag nog naar huis. Het is toch bijna weekeind. Ben en Marianne laten me met rust en stellen verder geen vragen.

'Mocht je op je besluit terugkomen, dan blijf je gewoon bij ons wonen, hoor.' Marianne kijkt me aan en dan slaat ze een arm om me heen.

48.

In Groningen stap ik uit de trein en neem de bus naar het ziekenhuis. Op een bushokje zie ik een poster voor het Winterfestival van dit jaar. Een jaar geleden stonden wij daar ook op.

Bij het ziekenhuis stap ik uit. Ik heb geen zin om iemand aan te spreken om de weg te vragen, dus het duurt even voor ik kamer 216B heb gevonden. De deur is dicht. Ik klop zachtjes aan, dan iets harder. Geen reactie. Voorzichtig doe ik de deur open. Wat is het hier warm!

Mijn oma ligt in een groot wit bed. Ze ziet er zó wit en stil uit dat ik ervan schrik. Ze is toch niet... Ik loop naar haar toe en dan zie ik dat ze een koptelefoon op heeft en met haar ogen dicht naar muziek luistert. Ze zit met een stuk of wat snoeren vast aan een paar apparaten en in haar arm zit een infuus.

Ik leg mijn hand op haar arm. Ze schrikt en kijkt me aan.

'Dag, oma. Hoe is het hier?'

Oma zet haar koptelefoon af en schakelt de radio uit. Ik voel me opeens kaal en leeg: ik heb geen bloemen of een kado of wat dan ook meegenomen.

'Dag, lieve meid.' Haar stem klinkt zo dun.

En ik kan er maar niet aan wennen haar zonder bril te zien. Ik help haar rechtop zitten en ga op de rand van haar bed zitten.

'Wil je een glas water voor me pakken?'

Ik doe het. Ze neemt een paar slokjes.

'En m'n bril?'

Ze zet hem op en kijkt dan een tijdje naar me. Een verpleger komt binnen, kijkt op de monitor en is weer weg.

'Ze zorgen hier prima voor me.' Oma pakt een doosje en probeert er een pilletje uit te wurmen. Ik help haar.

'Maar ze hebben het zo ontzettend druk. Ik heb soms een verpleegster om mijn linkersok aan te trekken en daarna een andere voor de rechtersok. Sjonge jonge, wat werken die mensen hard. Geen tijd voor een praatje of een kop koffie.'

Oma slikt het pilletje door met water.

'Zo fijn dat je er bent. Je moest eens weten hoe ik daarvan geniet. Maar nu genoeg over mij. Dat geklaag van zo'n oud mens. Hoe gaat het met jou?' Ze wrijft over m'n arm.

'Goed, hoor.'

Oma kijkt me aan. Ik sluit even m'n ogen.

'Ik ben gestopt met de opleiding.'

'Waarom?' Oma probeert rechterop te gaan zitten. 'Ben je gek geworden?'

Het voelt alsof een windvlaag in mijn lijf alles helemaal door elkaar blaast.

'Het is toch niks voor mij.'

'Je bent niet goed bij je hoofd.'

Ik schrik van de manier waarop ze me aankijkt.

'Wat zit je nou toch moeilijk te doen?'

Ik kijk naar de monitor waar een groen lijntje op- en neergaat. Was dat er net ook al of heb ik dat veroorzaakt?

'Iemand met jouw talent en jouw mogelijkheden en deze kans om een opleiding te doen. Reken er maar op dat jij je talent niet voor niets hebt gekregen. Het is keihard werken, en soms zul je gigantisch balen. Omdat het niet de makkelijkste weg is. Maar wel jóuw weg.'

We zeggen even niks. De monitor begint en ergens gaat een telefoon.

'Wat is er aan de hand?' vraagt een verpleegster die opeens in de kamer staat. 'Mevrouw Van Lente heeft rust nodig.'

'Ik moet m'n kleindochter voor een grote stommiteit behoeden.' Oma klinkt fel.

De verpleegster legt het kussen van mijn oma recht, kijkt op de monitor en noteert iets op een grafiek.

'Het bezoekuur is afgelopen,' zegt ze tegen mij.

Ik sta op van de rand van het bed.

'Denk d'r aan!' Oma pakt mijn hand en knijpt er met haar kippenkracht in. 'Bel die school, zeg dat je stom, dom en gek bent geweest en ga gewoon terug.'

Ik kijk naar de vloer en produceer een glimlach. Dan geef ik oma een kus en loop de lange grijze gang op.

En nu voel ik me weer schuldig omdat ik mijn oma van slag heb gemaakt. En ik vond het ook vervelend dat oma écht boos op me leek.

Beneden in het ziekenhuiswinkeltje koop ik een blikje cola. Omdat ik nog een half uur moet wachten op de bus ga ik op een bankje bij de ingang zitten. Mensen lopen in en uit. Ik zie een meisje met een kaal hoofd in een rolstoel en terwijl ik kijk, herken ik haar tot mijn schrik opeens. Die zat een paar klassen lager dan ik op school. Mij ziet ze niet. Wat zou ze hebben? Oudere mensen lopen in hun pyjama achter een rollator en met een infuus. Het lijken wel langzaam rijdende botsautootjes op de kermis. Mensen komen binnen met bloemen, ballonnen, grote kado's. En daar tussendoor rennen de verplegers en de artsen. Sommigen bellend en pratend en lezend tegelijk.

Ik neem een grote slok cola. Oma heeft het mooi gezegd. En ze heeft gelijk. Toch?

Ik weet het niet meer. Als ik het zeker weet (ik stop!), dan draait een gedachte of iets wat iemand zegt de loper weer om en stroomt de andere kant (ik blijf!) weer vol. Was ik niet iets te snel met mijn beslissing? Maar die gedachte wil ik geen moment in mijn hoofd hebben, want het is toch al te laat, de papieren zijn getekend en verstuurd.

Ik kán niet eens meer terug.

49.

'Wat doe jij hier?' vraagt mijn vader als ik 's avonds thuiskom. 'Je zou toch pas morgen thuiskomen?'

Hij zit aan de keukentafel. Ik had me voorgenomen om er een beetje omheen te praten, desnoods een paar lerarenvergaderingen te verzinnen. Voor even. Want de timing kan haast niet beroerder: pap en mam hebben zo veel aan hun hoofd. Maar zonder dat ik het echt wil, zeg ik het al.

'Ik ben gestopt.'

Het blijft even stil.

'Gestopt? Waarmee?' Mijn vader schudt niet-begrijpend z'n hoofd.

'Met de opleiding.'

Weer stil. Maar anders dan ik hoopte. Ik voel een raar soort verontwaardiging groeien bij mijn vader.

'Ik begrijp het niet.' Pap kijkt me aan met een blik die ik niet ken.

Wat stom. Alles wat ik bedacht had, het leek zo logisch, maar als ik het hardop zeg, dan klinkt het nergens naar. Ik hoop opeens dat mijn vader heel hard roept: 'Niet doen! Terug naar Beatrijs, verscheur die papieren, gooi ze in een of ander kerstvuur.'

Maar dat zegt hij niet. Hij zegt helemaal niets. Waarom kan ik nooit eens een beslissing nemen die dan ook meteen de goeie is?

Mijn vader haalt zijn schouders op en zegt: 'Soms begrijp ik helemaal niets van jou, Sanne van Lente. We moeten het er nog maar eens uitgebreid over hebben.'
Zorgvuldig vouwt hij de krant dicht. Ik voel me een klein kind dat stout is geweest. Een tijdlang zeggen we niets. 't Is geen fijn zwijgen, zoals ik met mijn vader kan.
'Waar is mama?' vraag ik na een hele tijd.
'Bij opa. Ze komt vanavond thuis.'

Hoe rot ik me ook voel: wat is het fijn om weer thuis te zijn. De woorden 'voor altijd' durf ik niet te denken. Ik loop door het huis alsof ik een wereldreis heb gemaakt en van gewoon alleen maar zitten op mijn eigen kamer kom ik helemaal tot rust. De geuren van buiten en de vertrouwde geluiden... Heerlijk.
Ik wil even helemaal geen muziek horen. Uren zit ik op mijn kamer, alleen maar te zitten. Ik ben ontzettend moe, mijn armen en benen zijn van lood en mijn hoofd is gevuld met watten. Ik kan niet meer denken, twijfelen, wikken of wegen. Alleen stil zitten.

Uren later word ik wakker als mijn moeder naast me op het bed gaat zitten.
'Wat heb je toch gedaan, gekke griet?' Ze streelt mijn haar.
'Weet je het allemaal wel zeker?'
In de verte loeit een van de koeien.
'Ik weet niks meer zeker.'

50.

'Wát heb je gedaan?' vraagt Tika.
We zitten op mijn kamer en luisteren naar een van de cd's die ik gekocht heb.

'Gestopt. Maar ik wil het er niet over hebben.'

'Waarom?'

'Ach. Ik ga toch maar naar de sportschool. Ligt me beter.'

Tika grijnst even. 'Nou, als je nog even goed je best doet, kun je nog meedoen met de Olympische Spelen volgend jaar.'

Ze prikt in m'n zij. 'Wat is het nou?'

In een paar zinnen leg ik uit waarom ik gestopt ben.

'Mens, waarom vertel je dat nu pas?' Tika krabt in haar nek. 'Wat moet jij hebben zitten tobben in je eentje.'

Ik haal m'n schouders op. Ik lach naar Tika. Ze lacht terug. En vraagt niets.

'Bij jou verder nog iets bijzonders?' vraag ik overdreven vrolijk.

Tika's gezicht begint te stralen. Ik zie aan haar ogen dat ze moeite heeft gehad met wachten op het juiste moment. 'Thijs heeft hoi tegen me gezegd.'

'Echt waar?'

'Ja.' En ze geeft een minutenlange beschrijving van hoe hij keek, wat dat zou kunnen betekenen, hoe zijn stem klonk en hoe hij daarna wegliep en hoe ze dácht dat hij nog een keer omkeek, maar dat niet zeker weet, omdat ze zelf niet om durfde te kijken omdat hij anders zou kunnen denken dat zij hem leuk vindt, wat natuurlijk wel zo is, maar wat hij niet hoeft te weten. Tenminste. Nu nog niet.

'Een hoopvolle ontwikkeling,' zeg ik. 'Hoi zeggen is het begin van alle liefde.'

'Enne jij? Hoe zit het met Hakim? Weet hij al dat jij hem leuk vindt?'

'Haha! Ander onderwerp. Erg hè, die olieramp bij Groenland?'

Tika gooit een pen naar m'n hoofd. 'Vertel!'

'Ik heb hem een kus gegeven. Zomaar.'

Het klinkt zó stom en ik voel me weer meteen zoals toen, in de kantine, en ik zie zijn ogen weer voor me, de verbaasde blik en de koelte, alsof iemand opeens mijn warme jas uittrok. Ik snap

165

niet dat ik ooit in m'n hoofd gehaald heb dat hij daar op zat te wachten.

'Net zoals Thomas bij jou,' zegt Tika.

'Ja, inderdaad.' Dat had ik zelf nog niet eens bedacht. Daar heb ik Tika voor.

'En?'

'Hij reageerde nogal... verrast.'

'Verrast?'

'Hij liep weg.'

Tika begint vreselijk te lachen. 'Sorry hoor, ik lach je niet uit, maar je vertelt het zo grappig, ik zie het voor me.'

Ik begin zowaar mee te lachen en we krijgen ouderwets de slappe lach.

Als we uitgelachen zijn, zeg ik: 'Ik durf hem nooit meer onder ogen te komen. Laat staan samen te spelen. Ik durf nooit van m'n leven meer een jongen te kussen voordat hij me zwart-op-wit heeft laten weten dat hij door mij gekust wil worden.'

'Maar Hakim heeft toch niet gezegd dat hij niks in je ziet?'

'Nee. Dat heeft hij niet gezegd. Dat hoefde ook niet, dat was zo wel duidelijk.'

51.

De dagen erna logeert Tika bij ons. We hebben allebei vakantie en we zijn allebei veel alleen. Gelukkig zie ik m'n ouders weinig deze dagen, ze zijn veel weg. Naar het bezoekuur, en mijn moeder naar de kapper en mijn vader moet ook nog naar de schildercursus. En dan weer opa naar het ziekenhuis brengen of naar huis en thuis bij hem zijn. Ik vind het wel prettig, dat ze zo veel weg zijn, want die niet-begrijpende ogen maken een nog ergere chaos van mijn gedachten.

Tika's moeder moet werken en Tika heeft geen zin om alleen in het vakantiehuisje te zijn. We koken bijna elke dag zelf en vandaag maken we een megagrote pan boerenkool uit eigen tuin. Voor opa, voor ons, en een voorraad voor in de vriezer. Ik sta net de vierhonderdste aardappel te schillen als Tika's mobieltje afgaat. Ze loopt even de gang in. Ik spoel de aardappels af en snijd de grootste doormidden. Daarna snijd ik de boerenkool fijn en gooi die in de grootste pan die ik kan vinden. En dan het leukste werkje: zelf piccalilly maken. Van internet heb ik een recept geplukt. Eerst uien, komkommer en wortels snijden. Hebben we wel kerriepoeder in huis? Anders neem ik wel van dat andere gele poeder. Misschien moet ik kok worden, zou dat niks voor me zijn?

Tika komt weer binnen. 'Dat was m'n moeder, we gaan verhuizen. Ze heeft een huis gevonden in Groningen.'

'Echt waar? Je wou altijd al graag in Groningen wonen.' Ik schep twee lepels mosterd in een bakje.

'Mijn wens wordt zomaar vervuld,' zegt ze met een minzaam lachje. 'Een huis midden in de stad.' Ze pakt een mes en hakt een komkommer in schijfjes.

Als het eten klaar is, verdelen we de stamppot over een stuk of wat bakjes.

'Zullen we het lopend naar m'n opa's huis brengen?' vraag ik. 'Ik heb zin in een lange wandeling. Lekker fris.'

'Oké. Wil je me daarna helpen? Ik wil een beginnetje maken met die zooi in mijn kamer opruimen.'

Als we bij het witte huis aankomen, pak ik de sleutel onder de bloempot en open de deur. Weer staat er een afwas van een paar dagen, hoewel dat natuurlijk niet zo veel is. Want opa is nog altijd alleen thuis. Met oma gaat het redelijk. Ze is vooral heel erg moe. Toen ik er gisteren was, viel ze in slaap terwijl ik net een verhaal aan het vertellen was.

Tika en ik wassen af en ik stofzuig even snel de woonkamer en leg de post op een stapeltje op tafel. Ik schrijf een briefje voor opa dat we eten voor hem in de koelkast hebben gezet.

We gaan naar Tika's oude huis. Omdat er steeds kijkers voor

het huis komen, is het er héél netjes en héél schoon en koud en ongezellig. Tika zet meteen de radio en de verwarming aan.
'Ik heb geen zin om te janken. Dus we gaan hier zo snel mogelijk doorheen.' Tika trekt haar kast open en gooit al haar kleren op bed. 'Dit kan weg, dit kan weg, en dit is misschien wat voor jou,' en ze gooit een hip truitje naar me toe.
Het past me goed.
Bijna de helft van de kleren gaat naar een rommelmarkt voor het goeie doel en ik mag een hele stapel kleren hebben. Ook Tika's cd-verzameling wordt gehalveerd en hoewel onze smaken niet helemaal overeenkomen, ben ik toch weer een paar cd's rijker.
'M'n boeken neem ik allemaal mee,' zegt Tika. 'Dan maar minder ruimte daar.'
Het lijkt of het haar oplucht deze klus achter de rug te hebben.
'Trouwens,' zegt ze als we weer buiten lopen, nu zonder boerenkool maar met tassen vol kleding en cd's, 'ik denk dat ik weet wat ik wil gaan studeren. Psychologie.'
'Ja, psychologie, dat lijkt me wel wat voor jou.' En ik meen het.
Het is nog kouder geworden en de lucht is grijs als beton. Net voor een regenbui met dikke zware druppels zijn we thuis.
'En wat ga jij nou doen? Brrrrrrrrr.' Tika gaat met haar rug tegen de verwarming staan. 'Kom je terug bij ons op school?'
Ik geef geen antwoord en weet handig het gesprek om te gooien door te vragen: 'Moet je Thijs niet eens toevoegen aan je Hyvesvrienden?'
'Jaaa! Maar ik durf niet!'
'Maar ik wel!' grijns ik.
Ik zet meteen de computer aan.

52.

Op de ochtend van de uitvoering rijd ik met de trein weer naar Rotterdam. Uiteraard doe ik wel mee met het kerstconcert. Ze rekenen op me en ik vind het een mooie afsluiting van mijn Rotterdamse periode. Dat wordt vanavond mijn laatste nachtje slapen bij Ben en Marianne. Mijn ouders kunnen niet komen, die zitten de hele tijd bij opa en oma. Hoewel ik dat jammer vind, vind ik het om de een of andere reden ook helemaal niet erg. Ze snappen niets van mijn besluit en elke vraag erover maakt me ontzettend chagrijnig. Ben en Marianne komen wel op het concert. En Benno en Victor ook. Dat vind ik heel erg tof.

Na de vakantie zit ik weer gewoon op het Noordzijcollege. Gewoon weer bij Tika in de klas. Misschien ga ik na de havo vwo doen. Dan kan ik nog heel lang nadenken over wat ik later ga studeren. Ik heb nog geen idee wat. Maar wel gewoon in Groningen. Dan kan ik thuis blijven wonen.

Het kerstconcert gaat geweldig, maar mijn solo komt er matig uit, vind ik zelf. Ik durf mijn gevoel er niet helemaal in te gooien en ik houd het veilig, zoals ik het geoefend heb. Toch is het publiek muisstil en je voelt hoe mooi ze het vinden.

Na afloop sta ik te grienen in de foyer. Ik had liever dat het hartstikke slecht ging. Dan was het zoveel makkelijker om afscheid te nemen.

'Wat eeuwig zonde dat je stopt.' Naomi slaat haar armen om me heen. 'Ik begrijp het niet goed.'

'Ik snap er ook niets van,' zegt Hakim. Hij kijkt me aan met een stel ogen waar ik niet te lang in terug moet kijken, want dan ben ik in staat om onmiddellijk Beatrijs thuis te bellen om te vragen of het nog ongedaan gemaakt kan worden. Wat ik misschien ook zou moeten doen. Maar misschien ook niet.

Bij de kapstok trek ik mijn jas aan en drapeer mijn sjaal om mijn nek. De gangen zijn leeg, bijna iedereen is naar huis. Ben en Marianne staan buiten op me te wachten.

Net als ik weg wil lopen, staat Hakim opeens voor m'n neus.

'Hé, eh,' stottert hij. 'Van laatst. Ik, eh…'

Hij trekt met de punt van zijn schoen denkbeeldige strepen op de vloer.

'Ik vind het echt jammer dat je stopt. Als het maar niet door mij komt. Want eh… ik vind je wél leuk.'

Mijn mond zakt open, maar er komt geen geluid uit.

'Het was alleen zo onverwacht. Wat je deed. Ik wist gewoon even niet wat ik moest doen. Dus.'

Dan rent hij weg, de trappen af.

De volgende ochtend ga ik naar school voor het kerstontbijt.

De kantine is gezellig gemaakt met lange tafels en veel broodjes en clichékerstliedjes klinken uit de radio. Dit wordt mijn laatste dag op de Havo Voor Muziek en Dans. Mijn laatste keer met Hakim, met Naomi en Elisa.

Hans komt naast me zitten en hij pakt een krentenbolletje.

'Wat heb ik gehoord?' vraagt hij. 'Stop je ermee?'

De verbazing in zijn blik als ik ja zeg, maakt me in de war. Hij was toch degene die twijfelde aan mijn talent?

'Ik geloof niet dat ik een echte muzikant ben.' Ik pak een bruin bolletje en snijdt hem overdwars open.

'Dát denk ik juist wel.' Hans legt een plak kaas op z'n brood. 'Jij hebt de juiste mentaliteit. Je bent kritisch en je legt de lat voor jezelf steeds hoger.'

Ik geloof dat ik mijn wenkbrauwen niet verder omhoog kan krijgen.

'Je moest eens weten hoeveel studenten het wel prima vinden als ze een leuk deuntje kunnen spelen. En dat je twijfelt, betekent in elk geval dat je er echt over nadenkt. Ook omdat voor jou deze opleiding zwaarder is dan voor andere leerlingen, omdat die thuis blijven wonen. Ik heb jou altijd als een vechter gezien, iemand die écht wil, meer dan anderen misschien nog wel.'

Ik krijg mijn broodje maar niet vol gesmeerd met boter. 'Ik dacht altijd dat je niet echt onder de indruk van me was.'

'Nou,' zegt hij, 'ik ben niet benieuwd naar wat je al kunt. Ik wil je daar hebben waar het nog niet goed gaat. Ik wil dat je je grens zoekt om je daar uiteindelijk overheen te krijgen. Daarom is dit ook zo'n zware opleiding. Het is niet voor de lol. Jezelf overtreffen, en dat ook willen, dat is de bedoeling en dat je dat kunt, heb jij al bewezen.'

Dat juist Hans dit zegt, maakt de twijfel compleet. Maar het maakt me ook kwaad. Dit had hij wel eens eerder mogen zeggen! Daar is hij toch leraar voor?

Ik neem een hap krentenbol die ik maar moeizaam weg krijg.

In mijn broekzak trilt opeens mijn mobiel. Mijn vader, zie ik. Ah, die wil natuurlijk weten hoe de uitvoering gegaan is. Ik ren naar de gang en neem op.

'Hoi, pap.'

'Sanne, met papa.' Ik hoor meteen aan zijn stem dat er iets mis is.

'Vanmorgen is oma heel erg ziek geworden. Ze heeft een hersenbloeding gehad. Ik denk dat je beter naar huis kunt komen.'

Als ik nog niet wist wat 'aan de grond genageld' betekent, dan weet ik het nu. De verbinding is al verbroken, maar ik sta nog in de gang, met de telefoon aan mijn oor en ik weet het niet meer. Vooruit? Achteruit? Door de grond zakken?

'Wat is er met jou?' Hakim staat opeens naast me. 'Het duurt zo lang; ik dacht: ik kom even kijken.'

'Mijn oma. Ik moet er naar toe.'

Hakim loopt met me mee naar het station. Onderweg slaat hij zomaar even zijn arm om me heen.

171

53.

Als ik in Groningen kom, na meer dan drie uren reizen (die afgrijselijke trein stond bijna een half uur stil voor Zwolle) zie ik Hugo op het station op me wachten. Ik geloof niet dat ik me ooit zo robotachtig heb gevoeld. Ik ben helemaal leeg, zonder gedachten en zonder gevoel, een omhulsel dat loopt, beweegt en uit de trein stapt.

Als Hugo me ziet, rent hij naar me toe en slaat hij meteen zijn armen om me heen; ik zie niets meer, ik kan zijn gezicht ook niet zien. Hij houdt me zo stijf vast dat ik haast geen lucht krijg en na een tijdje wurm ik me los. Hugo's ogen zien er waterig uit en er hangt een slaaplucht om hem heen.

'Oma is vanmorgen overleden. Vlak nadat papa je belde.' Hij laat me los en kijkt naar me. Dan slaat hij zijn armen weer om me heen. Mijn broer en ik, die zo samen op het station staan – wie had dat gedacht.

We gaan naar het ziekenhuis. Ik heb nog steeds een enorm gevoel van haast in mijn lijf, het dringt niet tot me door dat dat niet meer nodig is. Op de gang komt papa naar me toe; hij omhelst me en haalt zijn neus een paar keer op. Hij houdt mijn hand stevig vast als we samen oma's kamer binnenlopen.

Ze ligt in bed. Alle snoeren en stekkers zijn weg. Het is heel stil in haar kamer, geen geruis van monitoren. Haar radio staat uit. Ik vraag me af wie dat gedaan heeft. Iemand moet hebben gedacht: oma is dood, die radio kan nu wel uit. Tegelijkertijd vind ik het heel raar van mezelf dat ik daar op dit moment aan moet denken. Lekker belangrijk!

Ik ga naast het bed staan. Daar ligt oma, maar ze is het niet. Ze lijkt zo klein, hoe kan dat? 't Is net of ze gekrompen is. Iemand zei dat een dode er net uit ziet alsof ie slaapt. Maar dat is niet zo. Oma ligt stil, zo stil kan niemand liggen. En ze is wit en blauw tegelijk en ze haar huid lijkt doorzichtig. Het is niet eng. Maar het is wel echt dood.

'Dag, oma.'

Ik had me voorgenomen om haar handen aan te raken, of haar een kus te geven op haar zachte wang, maar nu ze hier zo ligt, zo anders, zo stil, nu durf ik het niet. Wat erg. Ik durf mijn lieve, zachte oma geen kus meer te geven. Plotseling rollen de tranen over mijn wangen. Wat een lafaard ben ik!

Dan staat mijn vader naast me.

'Het geeft niet.' Hij pakt mijn hand. Koud. En bezweet. 'Weet je wat ik dacht toen ik haar daar zo zag liggen? Ik dacht: dat wat mijn moeder tot mijn moeder maakte, dat is er niet meer. Dat is eruit. Wie ze was, wie ze echt was, dat is weg. Dit is alleen haar lichaam. Over een tijd is er niks meer van over. Maar wat haar tot oma maakte, haar grapjes, haar muziek, haar dwarse buien en haar warmte, dat blijft bestaan zolang wij ons haar herinneren.'

Ik kijk naar mijn lieve oma en ik begrijp er helemaal niets van.

'Was jij erbij?' vraag ik.

Mijn vader knikt. 'Het is heel rustig gegaan. Ze ademde steeds zachter en langzamer en opeens bleef ze stil. Dat was het.'

Ik kijk naar oma's handen die op de dekens liggen. Wit en mager.

Er wordt op de deur geklopt. Een man met een vriendelijk gezicht vraagt of hij binnen mag komen.

'Wij komen mevrouw Van Lente ophalen.'

Hij overlegt met mijn vader waar oma naartoe gaat. Oma gaat naar haar eigen huis.

Dan lopen we zwijgend de gang op en gaan met de lift naar beneden.

Beneden zitten mam en Hugo in de plastic stoeltjes bij de ingang.

'Hé, Sanne,' zegt mam als ze me ziet.

We omhelzen elkaar.

'Waar is opa?' vraag ik.

'Die is even slapen. Hij heeft drie nachten naast oma gezeten.'

We gaan ergens in de stad een patatje eten. Dat doen we haast nooit. En ondanks alles vind ik het stiekem bijna gezellig. We zijn heel erg samen zo. Hugo draagt de hele tijd mijn saxkoffer.

Als we teruglopen naar het parkeerterrein van het ziekenhuis is het bijna donker. De lucht hangt donkerblauw over de stad. Het is helder en er zijn al een stuk of wat sterren te zien. Ik denk aan opa in zijn huis, en oma die nu voor het allerlaatst thuis is.

Mijn moeder blijft vannacht bij opa slapen. Wij gaan naar ons huis. We kijken televisie zonder iets te zien. Mijn vader zet thee en Hugo doet stomme spelletjes op de computer, maar hij heeft zomaar uit zichzelf het geluid zacht gezet.

Ik kijk op mijn mobiel. U heeft 1 nieuw bericht. Ik klik het open.

'Hoe gaat het daar? Moest aan je denken. Hakim.'

Ik sms terug: *'Oma is overleden.'* Vreemd om zoiets in een sms'je te versturen. Maar bellen ga ik hem echt niet.

We kijken suf naar de televisie. Er is een een of ander kerstkoor aan het galmen.

'Ach, lieverd,' zegt pap opeens, 'hoe was je kerstconcert? Wat erg, we zijn het helemaal vergeten.'

Ik wuif het weg. Geeft niks. Bovendien wil ik het er niet over hebben, want het zit me allemaal helemaal niet lekker. Maar ik heb nu wel mijn vaders aandacht. Ik moet het nu vragen.

'Pap.' Ik haal diep adem. 'Pap, ik wil graag een stuk spelen op de begrafenis. Wat vind je daarvan?'

Mijn vader kijkt me aan.

'Dat zou ik echt heel erg mooi vinden.' Hij trekt even aan zijn neus. 'Weet je het zeker?'

Ik weet het zeker. Ik heb zelden iets zo zeker geweten.

54.

Op de ochtend van de begrafenis word ik wakker van een streep licht over mijn gezicht. De zon schijnt fel mijn kamer in. Ik trek het gordijn verder open. Laag bij de grond is het mistig, de koeien hebben geen poten. Erboven straalt een blauwe lucht. Een stel ganzen vliegt gakkend over ons huis.

Ik heb kort geslapen; ik heb met mijn vader gisteravond de hele liturgie doorgenomen en lang zitten praten over van alles en nog wat. Mijn moeder was al naar bed.

Beneden hoor ik ontbijtgeluiden en het pruttelen van het koffiezetapparaat.

Snel douche ik en daarna trek ik mijn nieuwe kleren aan. Van mijn moeder heb ik een nieuwe broek gekregen en een nieuwe trui. We zijn gisteren samen het dorp in geweest en ik kon meteen wat vinden. Waarom trekken mensen eigenlijk andere kleren aan op een begrafenis?

Ik steek mijn haar op en kijk naar mezelf in de spiegel. Ik poets mijn tanden en haal een washandje met ijskoud water over mijn gezicht. Ten slotte hang ik de ketting met het hartje om mijn nek. Ik pak het even vast, alsof ik zo dwars door de tijd contact heb met oma en haar moeder, mijn overgrootmoeder.

Als ik beneden kom, lijkt het een dag als alle andere. Mijn vader zit aan de tafel en leest de krant terwijl hij kruimelend een cracker opeet en mijn moeder eet een of ander gezondheidsyoghurtje staand aan het aanrecht. Hugo drinkt uit het melkpak en krijgt van mijn moeder op z'n kop. Alleen onze kleren kloppen niet. Mijn vader draagt een grijs pak mét een stropdas en mijn moeder een keurige rok met blouse en Hugo een overhemd. Bijna alsof, tja, alsof we naar een begrafenis gaan.

Het kerkorgel speelt traag en somber. Ons gezin en opa staan in de koffiekamer, waar alle mensen ons condoleren voor ze de kerk ingaan. De zaal zit bomvol. De meeste mensen ken ik niet. Een mevrouw met rode wangen begint te huilen als ze opa ziet. Onbewogen ondergaat opa haar omhelzing. Er is familie die ik al heel lang niet gezien heb, oom Berend en tante Agnes. Wat zien die er oud uit! Tika is er ook, met haar moeder. Als de stroom mensen opgehouden is en iedereen in de kerk zit, neemt dominee Van Assen ons mee naar de kamer waar oma ligt. Met zijn vijven sluiten we de kist. Er zijn zó veel bloemen, dat we het niet in één keer allemaal mee de kerk in krijgen. We nemen zo veel we kunnen mee en de rest komt later. Dan rijden mijn vader en opa en een paar zwagers van oma de kist de kerk binnen. Het orgel begint een stuk van Bach te spelen.

Wij gaan voor in de kerk zitten, naast opa. Onder mijn stoel staat mijn koffer. Het brommerige geroezemoes en het geritsel van blaadjes houdt op als de dominee binnenkomt. Het begint. De dominee spreekt, een oom leest een stuk voor, we zingen een paar psalmen en het orgel speelt een paar van oma's lievelingsstukken. En dan, na het laatste bijbelgedeelte, is het mijn beurt. Dominee Van Assen maakt plaats voor mij. Het is stil in de kerk.

Ik sta op en loop naar het podium en daar open ik mijn koffer. Ik pak de sax uit de koffer en leg een rietje in het mondstuk. Vanmorgen heb ik gecontroleerd of het een bruikbaar rietje is. Daarna zet ik het mondstuk op de sax. Dan hang ik de riem om mijn nek en klik de sax erop vast. Nooit heb ik deze handelingen zo bewust en met zo veel aandacht gedaan. Het lijkt wel een vertraagde opname. Terwijl de hele kerk meekijkt.

Ik ga rechtop staan en kijk de zaal in. Schuin achterin zit Tika. Ze steekt haast onmerkbaar haar duim op. Ik glimlach. Goeie ouwe Tika.

Even sluit ik mijn ogen. In mezelf zoek ik de stilte op om het goede moment te vinden.

Ik vul mijn longen met lucht en zet de sax aan mijn mond. Nu.

De eerste tonen scheuren de lucht in de kerk doormidden. Ik voel de schrik in de zaal. Door de akoestiek klinkt het dubbel zo hard. Ik houd m'n ogen dicht en speel door. Mijn vingers gaan helemaal vanzelf. Het is niet een bestaand stuk dat ik speel, ik improviseer op m'n gevoel. Ik wil een portret van oma laten zien, zoals een schilder dat zou doen met verf. Ik speel hard en rauw en het kan me niet schelen dat sommige noten net niet zuiver klinken. Ik denk aan oma, aan alles wat ze was en wat ze voor me betekende. Niet alleen voor mij, maar ook voor opa en voor mijn vader. Ik zie haarscherp voor me hoe ik als klein kind luisterde naar de muziek die oma voor me opzette, samen op het bed, of hoe we samen achter in de tuin bessen plukten voor het toetje. Ik voel alles heel echt. Mijn kwaadheid omdat ze er niet meer is en waarom opa zo veel verdriet moet hebben. En ik. En mijn vader. En iedereen. En dat oma me zo veel geleerd heeft, meer dan ik kan uitleggen.

Terwijl ik speel, komen er allemaal herinneringen voorbij, als dia's. Ik met oma, als we mijn eerste sax uitzoeken, mijn oma die er meer verstand van bleek te hebben dan de verkoper. Mijn eerste uitvoering en mijn oma klapte het langst en het hardst van allemaal.

Een beeld van langer geleden, ik wist niet eens dat ik het nog wist. Ik zie mezelf in een rood jurkje spelen bij oma in de tuin. Hugo is er niet. Mijn oma is heel lief voor me en opa bakt pannenkoeken. Dan komen mijn ouders me ophalen; ik zie hen staan bij het hek van de tuin. Ik wil bij oma blijven, ik leg mijn handen op haar zachte buik en verberg mijn gezicht in haar trui. Maar mijn ouders nemen me mee.

Ik speel langzamer en de tonen worden lager. Het laatste stuk is een improvisatie op een nummer van Miles Davis, het allermooiste dat ik ken. Daar wil ik mee eindigen. Als ik de laatste noten gespeeld heb, de kerk in, over oma's kist heen, wordt het heel stil. Ik doe mijn ogen open en merk tot mijn eigen verbazing dat mijn wangen nat van de tranen zijn.

Dominee Van Assen doorbreekt de stilte.

'Dank je wel, Sanne,' zegt hij.

Ik ga zitten en de dominee gaat voor in gebed.

Voor we naar het kerkhof gaan, wachten we in de gang op de auto's. Het is intussen gaan miezeren. Opa staat stijf als een boom naast me. Opeens pakt hij me vast. Zijn armen onhandig om mijn schouders.

'Sanne. Dat was erg mooi. Dank je wel.' Met zijn ruwe lippen geeft hij me een kus op m'n wang. Dan draait hij zich om en loopt de gang door. Zijn gebogen rug, het pak dat hij nooit draagt, en zijn lieve hoofd dat in een paar dagen zo veel kaler en ouder lijkt te zijn geworden.

En dat is het moment. Het moment waarop ik begrijp wat muziek betekent.

Het is niet begrijpen zoals je een som opeens begrijpt. Of weten waar Tokio ligt. Of dat water H_2O is. Het is een weten dat dieper gaat, onder het verstand door, heel wezenlijk.

Alles is achter de rug. Oma is begraven en de berg met bloemen was zo hoog dat we er bijna niet overheen konden kijken. Er waren zo veel paraplu's dat het leek of we in een soort tent om het graf stonden.

Dan gaat iedereen koffiedrinken in de kerk. Gek dat de sfeer nu zo anders is. Ik hoor mensen praten over iets wat op televisie was, er wordt zelfs gelachen. Ik zit er als een toeschouwer bij, roerend in mijn koffie terwijl ik daar helemaal niet van hou. Er staan schalen met vette cake op de tafels.

'Dat was fantastisch mooi, Sanne,' zegt tante Agnes. Ze legt een hand op mijn schouder.

Allerlei mensen komen naar me toe, bij sommigen schieten er tranen in hun ogen als ze zeggen: 'Wat was dat mooi.'

Een man in een raar bruin pak zegt tegen me: 'Meisje, je zou er wat mee moeten dóen, je kunt best goed spelen.'

Mijn vader en moeder praten met mensen die ik nooit gezien

heb en Hugo is buiten. Het is hem te druk hier. Ik zou zelf ook wel even alleen willen zijn. Er staat een bankje op de gang en daar ga ik op zitten. Ik heb uiteraard mijn mobiel op stil gezet, maar ik zie nu dat er een berichtje is binnengekomen. Van Hakim.

'Muziek is de blikopener van de ziel. Blijf spelen.'

55.

Ik zit op de bank in de woonkamer en het is stil om me heen. M'n vader en moeder zijn ergens winkelen en Hugo is met vrienden weg. Tika is met haar moeder shoppen voor het nieuwe huis. De telefoon ligt op mijn knieën en ik zit moed te verzamelen. Heel veel moed. Ontzettend veel moed. Al mijn nagels zijn eraf.

Niet nadenken, zeg ik tegen mezelf. Doe het. Druk die nummers in. Doe het!

Ik pak voor de zoveelste keer het boekje met de adresgegevens van de docenten van de HVMD en druk het nummer in dat ik zo onderhand uit mijn hoofd ken. Beatrijs van den Hoek. Ik mocht haar altijd bellen, had ze gezegd.

Terwijl de telefoon overgaat, klopt mijn hart in mijn keel. Ik kan niet praten, ik moet wat drinken, een glas water. Waarom heb ik daar niet eerder aan gedacht? Ik sta al half op als ik de voicemail hoor. Snel verbreek ik de verbinding. Ik ga echt niet inspreken.

Na de eerste keer proberen is het makkelijker om het nog eens te doen. Ik druk 'herhaal laatstgekozen nummer' die middag een keer of vijftien, maar Beatrijs is er niet.

Dan neem ik op maandagochtend gewoon de trein. Nou ja, gewoon... Tweeënhalf uur op weg naar de school waarvan ik niet weet of het nog mijn school is. Mijn treinabonnement is nog niet verlopen, dus als ik niet meer naar binnen mag, is er geen treinkaartje verloren.

Ik heb expres een trein eerder genomen, want ik heb geen zin om wie dan ook tegen te komen. En dat lukt. Ongezien kom ik op de vijfde verdieping. Mijn lijf voelt als dat van een olifant.

Ik klop op de deur.

'Ja?' hoor ik Beatrijs. Ze is er!

Ik stap haar kamer binnen. Beatrijs zit wat post door te bladeren.

'Sanne,' roept ze. 'Gelukkig nieuwjaar. Wat brengt jou hier?'

De vrolijkheid waarmee ze me begroet, doet de tranen in mijn ogen springen. Waarom had ik gedacht dat ze boos zou zijn?

'Nou,' begin ik.

Ik had een heel verhaal bedacht, met hoe het allemaal zo gekomen is, en waarom, en mijn oma, en de begrafenis, maar ik kom niet verder dan: 'Ik heb spijt. Ik wil blijven.'

Beatrijs legt de stapel enveloppen neer.

'Waarom?'

Het klinkt zo koel, dat ik meteen begrijp dat dit een oerstomme actie van mij was. Er zijn zo veel mensen die op deze school willen. Mijn plekje is vast allang aan iemand anders vergeven.

'Omdat ik wil blijven.'

Beatrijs glimlacht. Ik zit nu echt bijna te janken. Het zal toch niet gebeuren dat het, nu ik het echt op mijn allerzekerst weet, niet doorgaat? Door mijn eigen stommiteit?

'Luister eens, gekke Sanne. Kijk eens wat ik hier heb?' Ze haalt uit een la de uitschrijfformulieren tevoorschijn. 'Ik dacht: ik wacht even de vakantie af, voor ik ze verstuur. Ik had het idee dat je beslissing net iets te impulsief was.'

Hoe stom het ook is, ik spring uit mijn stoel en vlieg Beatrijs om haar nek. Ik moet iets doen met het uitzinnige gevoel dat uit mijn binnenste spuit alsof er een fontein is aangezet. Ik mag blijven! Alles komt goed!

'Geweldig. Wat ben ik blij. Wat ben ik ontzettend blij! Dank je wel.'

Ik verscheur de uitschrijfpapieren tot tientallen kleine stukjes en gooi ze in de lucht, alsof het sneeuwt.

'En nu wegwezen,' zegt Beatrijs.

Op de gang sms ik Hakim. *'Vanmiddag samen spelen?'*

Ik pak mijn babyblauwe koffer en ren de gangen door.

Over twee minuten begint mijn saxofoonles.